60分でわかる!

New Nippon
Individual
Savings
Account

[著]
酒井富士子

新

[シン・ニーサ]

NISA

入門

JN028152

技術評論社

世代別投資シミュレーション

1200万円引き出しているのに
65歳時は2400万円の資産が!!

新NISAとiDeCoと定期預金でライフイベントを乗り切る

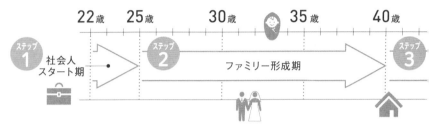

| 22歳 | 25歳 | 30歳 | 35歳 | 40歳 |

ステップ1 社会人スタート期

ステップ2 ファミリー形成期

ステップ3

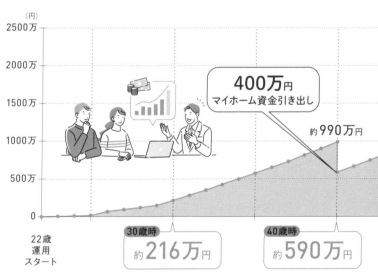

(円)

- 2500万
- 2000万
- 1500万
- 1000万
- 500万
- 0

400万円 マイホーム資金引き出し

約990万円

22歳運用スタート

30歳時 約216万円

40歳時 約590万円

積立額

新NISA	5000円	2万円	5万円	
iDeCo	—	—	—	
積立定期	1万5000円	2万円	2万円	

2

新NISAスタートで非課税での運用を一生涯続けられるように。
少額の積立投資から始めて、必要に応じて取り崩しても、
老後には2400万円以上の資産ができます!

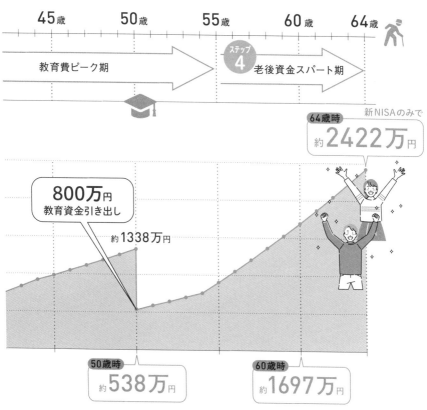

新NISAのみで

64歳時
約**2422万**円

800万円
教育資金引き出し

約**1338万円**

ステップ
4
老後資金スパート期

教育費ピーク期

45歳　50歳　55歳　60歳　64歳

50歳時
約**538万**円

60歳時
約**1697万**円

※利回りは定期預金 0.02%、つみたて NISA、iDeCo は 3% で算出
積立定期、iDeCo 合計では約 3800 万円

5万円	3万円	3万円	10万円
2万円	2万円	5000円	2万円
1万円	1万円	―	1万円

22～25歳は資産形成の助走期間
26～40歳は人生の第一の貯め時

● 新NISAを活用して人生前半期から賢く資産形成

　22～25歳の「社会人スタート期」は資産形成の第1ステップ期。生活費とは別に積立定期に毎月1万5000円を積み立て、ケガや病気など不測の事態への備えとして、収入6カ月分程度の手元資金を貯めましょう。**手元資金が貯まったら、新NISAのつみたて投資枠（→ P.14 参照）への積立を開始**。積立額は毎月5000円と少額からで構わないので、投資のイロハを身につけましょう。

　25～40歳の「ファミリー形成期」では、収入も徐々にアップしていき、結婚や出産が本格的に視野に入ってきます。この時期は資産形成の第2ステップ期で、人生の第一の貯め時となります。つみ

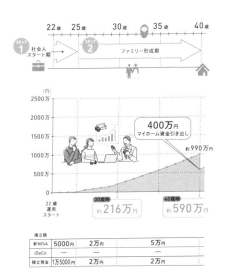

積立額			
新NISA	5000円	2万円	5万円
iDeCo	—	—	—
積立預金	1万5000円	2万円	2万円

結婚してから、
子どもが小学校低学年頃までが
人生の第一の貯め時！
なるべく無駄な出費は控えて
資産形成を頑張ることを
おすすめします

たて投資枠への積立額は収入アップにあわせて段階的に増額していきましょう。さらに、結婚してダブルインカムになったら、夫婦あわせて毎月5万円は積み立てたいところです。ついついレジャーや友人との付き合いなどにお金を使いたくなる時期ですが、**子どもの教育資金が本格的にかさむ中学入学までにできる限りの資産形成をしておくことで、後々の人生で預金が必要なときの助けになります。**

40歳の時点でマイホーム購入資金として400万円を新NISAから引き出します。それでも新NISAの積立額は約590万円残るうえに積立預金もあるため、手元資金が枯渇することはありません。

41〜55歳は教育費出費＋老後資金形成
56〜65歳は老後資金づくりに本腰を

◉ 教育費負担が減ったら、老後資金づくりへラストスパート

　資産形成の第3ステップ期となるのが41〜55歳の「教育費ピーク期」。この時期は教育資金の負担が大きくなり、第2ステップ期と比べて資産を積み増すことが難しくなります。特に子どもたちの中学入学から大学卒業までは教育資金が重くのしかかるため、**45〜55歳では新NISAの積立額は毎月3万円に減額しましょう。**一方で、老後資金の形成を考えると、この時期からiDeCoでの資産運用も始めたいところ。ただし、iDeCoは一度始めると途中で解約することができないため、家計が厳しくなる時期には最低積立額である毎月5000円の積み立てで構いません。

積立額				
新NISA	5万円	3万円	3万円	10万円
iDeCo	2万円	2万円	5000円	2万円
積立預金	1万円	1万円	—	1万円

「教育費ピーク期」は
教育費がかさみ
資産形成が難しくなる時期。
老後資金形成のためにも、
最低積立額でよいので
iDeCoを始めましょう

50歳の時点で教育資金として800万円を新NISAから引き出し、その後、資産形成の第4ステップ期となる56〜64歳の「老後資金スパート期」に突入します。この時期は教育費の負担もなくなり、老後資金づくりのラストスパートをかけることができる時期です。ここで可能な限り資産を積み増すことができれば、2000万〜3000万円の老後資金を形成することも夢ではありません。そこで、**新NISAの積立額は月10万円に設定し、投資枠をフルに使い切ります**。また、節税メリットの大きいiDeCoの積立額も月2万円に増額し、老後資金づくりのラストスパートをかけましょう。

Contents

Part

1

NISAの基本と
メリット

Part

2

新NISAの
スゴさを知ろう

Part

1

NISAの
基本とメリット

現行NISAがバージョンアップ！
2024年から「新NISA」がスタート

● 従来の制度がバージョンアップし一層使いやすく！

　2024年1月からいよいよ「新NISA」がスタートします。「NISAって元々ある制度だけど、まったく別の制度になるの？」と疑問に思った人もいるかもしれませんが、**新NISAは現行のNISA制度をベースにした制度で、より使いやすく、お得に投資できる仕組みに生まれ変わる**と考えればOKです。では、なぜこのタイミングで新NISAがスタートするのか。それにはこんな背景があります。

　欧米の先進諸国に比べると、家計から投資に割り当てる比率が低いのが日本の特徴です。しかし超低金利下の今、銀行預金ではほとんどお金は増えません。加えて少子高齢化が進み、社会保障で国民1人1人の老後を支えるのにも限界が来ています。そのため政府は投資がしやすくなるようNISA制度を拡充し、自ら資産形成することを後押ししているのです。

　現行NISAは時限措置として実施され、非課税期間も有限です。「一般NISA」と「つみたてNISA」という2つの制度に分かれていて、併用できません。一方、新NISAでは制度が恒久化され、非課税期間は無期限に。**「つみたて投資枠」**と**「成長投資枠」**という2つの枠を併用することができるようになります。さらに非課税投資枠も拡大されるなど、新NISAはこれから投資を始める人だけでなく、既存のNISAユーザーも満足できる制度になります。

　現行NISAから新NISAへの変更点、新NISAの特徴やメリットについてはPart2（→P.27～）で詳しく解説します。その前にNISAを使って投資をするメリットを押さえていきましょう。

● 新NISAはどんな制度？

現行NISAがいっそう使いやすく生まれ変わる！

つみたて投資枠
長期間、手間をかけず
コツコツ運用したい人に

成長投資枠
積極的に資産を
増やしたい人に

	つみたて投資枠	成長投資枠
年間投資枠	120万円	240万円
非課税となる保有期間	無期限化	無期限化
非課税となる最大投資枠（総枠）	1800万円（投入資金の総額1800万円までしか投資できない。売却をすると翌年からその分の枠が復活）※ 簿価残高方式で管理	
		うち1200万円
投資対象商品	長期の積立・分散投資に適した一定の投資信託・ETF	上場株式・投資信託・ETF・REIT等 ※ 次の①〜⑤を除外 ① 整理・監理銘柄 ② 信託期間20年未満の投資信託 ③ 高レバレッジ型等の投資信託 ④ 毎月分配型の投資信託 ⑤ その他条件に合致しないもの
買付方法	積立	一括・積立
対象年齢	18歳以上	

出典：金融庁ホームページを基に作成

まとめ	☐ 現行NISAの内容を抜本的に拡充したのが新NISA ☐ 新NISAでは制度が恒久化、非課税期間も無期限化

初めての投資はNISAがベスト!
その理由は?

◎ 非課税メリットを得ながら複利で資産を増やしていける

現行 NISA・新 NISA に関わらず、そもそも NISA を使うと何がお得なのか、まずはそこから確認していきましょう。

投資をして売却益や分配金といった利益が出ると、その利益に対して税金がかかります。税率は 20.315％と非常に高く、10 万円の儲けが出たとしても税金で 2 万 315 円が引かれ、実際に手にできるのは 7 万 9685 円です。しかし、NISA 口座を開設して、その中で購入した金融商品に対する利益については非課税になります。**税金が引かれず利益をまるまる手にできるというのが、NISA を利用する最大のメリット**です。

NISA を使うと簡単に積立投資ができるのもメリットです。積立投資とは、定期的に投資信託などの金融商品を購入し積み立てていくこと。長く積み立てると、運用で得た収益を当初の元本にプラスして再投資することによる「複利」で、資産が大きくなる効果が得られます。

新 NISA には「つみたて投資枠」と「成長投資枠」がありますが、前者で投資できるのは長期積立に向いた商品のみ。複利効果を期待できるほか、複利で増えた利益も非課税で受け取れます。加えて、新 NISA では非課税期間が無期限になり、何十年でも積立を続けられるようになります。右ページの図のように、運用期間が長いほど複利効果は高まるので、今以上に NISA を使うメリットが大きくなるのです。投資未経験の人にとっては、今が NISA を始める絶好の機会といえるでしょう。

● NISAを使うと売却益や分配金が非課税に！

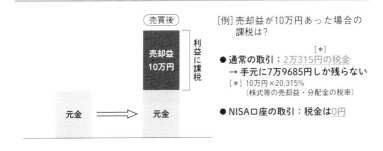

[例] 売却益が10万円あった場合の
課税は？

[*]
● **通常の取引：2万315円の税金**
→ 手元に7万9685円しか残らない
[*] 10万円×20.315%
（株式等の売却益・分配金の税率）

● **NISA口座の取引：税金は0円**

● 投資期間と複利効果の関係

[例] 投資リターン（投資収益率）を年10%と想定した場合（単位：万円）

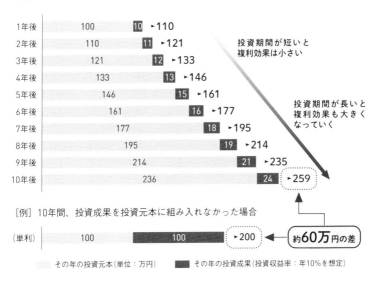

	その年の投資元本		
1年後	100	10	▶110
2年後	110	11	▶121
3年後	121	12	▶133
4年後	133	13	▶146
5年後	146	15	▶161
6年後	161	16	▶177
7年後	177	18	▶195
8年後	195	19	▶214
9年後	214	21	▶235
10年後	236	24	▶259

投資期間が短いと
複利効果は小さい

投資期間が長いと
複利効果も大きく
なっていく

[例] 10年間、投資成果を投資元本に組み入れなかった場合

（単利） 100 100 ▶200 ◀ 約60万円の差

その年の投資元本（単位：万円）　　その年の投資成果（投資収益率：年10%を想定）

まとめ	☐ NISAを使うと売却益や配当金が非課税になる
	☐ 積立専用の枠を使って積立投資ができる
	☐ 長期の積立投資によって複利効果が膨らんでいく

NISA投資が最強な理由①
分散投資に向いた商品が選べる

資産・地域・時間を分散し、リスクを軽減する

　投資の3原則は**「長期・積立・分散」**。「長期間投資を続ける（長期）」、「定期的に積立を行う（積立）」、「さまざまな資産や地域に投資する（分散）」というルールで、国もこの投資方法を推奨しています。このうち「分散」の重要性から見ていきましょう。

　投資は元本保証ではないので、資産が増える可能性がある一方で減る可能性もあります。そのリスクを減らすには、特定の金融商品や地域に絞るのではなく、**株式や債券といった幅広い種類の資産、国内と海外など幅広い地域の資産に分散投資することが大切**です。また、投資の際には一度にまとめて購入するのではなく、定額などを積み立てて時間を分散することもポイントです。

　分散投資の重要性を表す有名な格言に「卵を一つのカゴに盛るな」というものがあります。複数のカゴに卵を分けて入れておけば、1つのカゴを落としても他の卵を守ることができます。同様に、**分散投資で複数の商品を組み合わせておけば、運用が失敗してもダメージを軽減することができる**のです。株式投資は1社に直接投資するので分散投資には向きません。最適なのは、国内外の株式・債券など、さまざまな金融商品に1本で投資できる「投資信託（投信）」を使う方法です（→ P.106参照）。

　新NISAでは、つみたて投資枠・成長投資枠のどちらでも投資信託の運用ができます。とくに、つみたて投資枠では、一定の要件を満たした投資信託（ETF含む）に商品が絞られているので、投資ビギナーも安心して始めることができます。

◉ 投資の3原則は「長期」「積立」「分散」

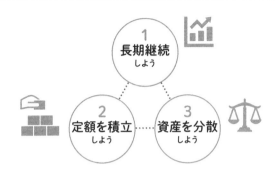

◉ 分散投資の効果（実績）

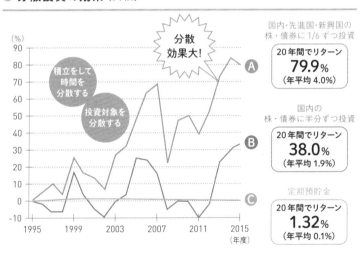

国内・先進国・新興国の
株・債券に1/6ずつ投資

Ⓐ

20年間でリターン
79.9%
（年平均 4.0%）

国内の
株・債券に半分ずつ投資

Ⓑ

20年間でリターン
38.0%
（年平均 1.9%）

定期預貯金

Ⓒ

20年間でリターン
1.32%
（年平均 0.1%）

※ 各計数は毎年同額を投資した場合の各年末時点での累積リターン。株式は代表的な株価指数を基に、
　債券は各国の国債を基に市場規模等に応じ各国のウェイトをかけたもの

出典：金融庁

まとめ	☐ 資産・地域・時間を分散するとリスクを減らすことができる
	☐ つみたて投資枠なら投資ビギナーも安心して始められる

NISA投資が最強な理由②
非課税で長期投資できる

● 運用期間が長いほど元本割れのリスクが減る

　右ページの図は資産・地域を分散して積立投資を行ったときの例で、保有期間5年と20年を比較したもの（金融庁「つみたてNISA早わかりブック」より）。これを見ると保有期間5年では元本割れすることがありますが、保有期間20年になると元本割れのリスクはなくなっています。つまり、**資産や地域などを分散するだけでなく長期間投資を続けることで、資産が減るリスクを軽減できる**のです。これが投資の3原則に「長期」が入っている理由です。

　新NISAでは非課税期間が無期限化されますが、ライフイベントなど必要に応じてお金を引き出すことを考えると、常に20年間などの長期投資をするというのは難しいでしょう。そのときには、必要な金額だけを引き出すようにして、残りは投資を続けることが大切です。短期間で引き出さなくてはならない場合には、資産がプラスになっているタイミングを見極めるようにしましょう。

　長期投資をする間には、リーマンショックのような極端な値下がり局面に出くわす可能性もゼロではありません。しかし、世界経済は短期的には上下しながらも長期的に見ると右肩上がりを続けているので、下がった後には大きく増える可能性が待っています。そのため、**下がってもすぐ売却せず、腰を据えて値上がりを待つことが大切**です。NISAは利益が出ているときには非課税のメリットを得られますが、利益が出ていないタイミングではメリットがない制度です。そのことを理解して、損をしないように上手に制度を活用しましょう。

● 短期間で積立をやめると元本割れしやすい

■ 資産・地域を分散して積立投資を行った場合の運用成果の実績

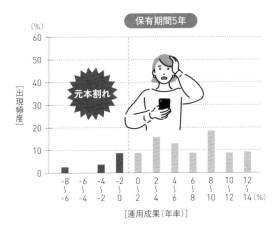

保有期間5年

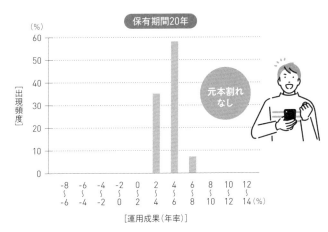

保有期間20年

出典：『つみたてNISA早わかりガイドブック』（金融庁）

まとめ	☐ 投資期間が長期になるほど**元本割れリスクが減る**
	☐ 値下がり局面があったら上がるまで待つ
	☐ NISAは利益が出ているときにだけメリットがある

NISA投資が最強な理由③
積立投資が簡単にできる

○ 購入時期を分散するとリスクが低減&購入単価が下がる

　投資の3原則のうち、最後のキーワードが「積立」です。毎月一定の金額を定期的に投資する手法を「積立投資」といいますが、積立投資のメリットは**「ドル・コスト平均法」**が働くこと。毎月定額を購入する設定をしておくと、価格が高いときには少ない口数を、低いときにはたくさんの口数を購入し、結果的に平均購入単価を安くできます。これによって投資コストを抑え、高値づかみのリスクを軽減することができるのです。

　ドル・コスト平均法では、一見不利な値下がり局面が「安く・たくさん買えるタイミング」になります。投資は買ったときよりも高く売るのがセオリーのため、通常値下がりは歓迎されません。しかし、毎月定額で購入していけば、価格が低いときほど購入できる口数が多くなります。長期投資では安いときの購入数量が多いほど値上がりしたときの収益もアップするため、値下がり局面をプラスに捉えることができるというわけです。

　投資が初めてという人も、新NISAを使えば積立投資が簡単にできます。NISA口座の開設を申し込み、口座ができたら積み立てる商品を選び、積立頻度と金額を設定するだけ。最初にこれさえやってしまえば、後は基本ほったらかしでOKです。

　このように、NISAを使って**「長期・積立・分散」の3原則を守りながら投資をすると、投資のリスクを軽減し、なおかつ非課税メリットを享受しながら資産を増やしていくことができます**。これが「NISA投資が最強」といわれる理由なのです。

● 毎月定額を投資するとドル・コスト平均法が効く

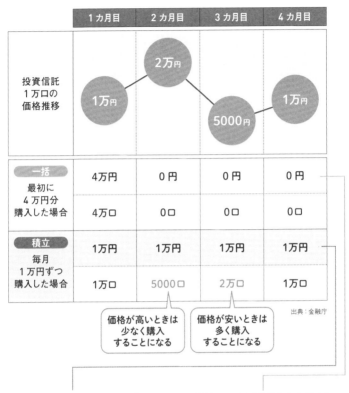

	1カ月目	2カ月目	3カ月目	4カ月目
投資信託 1万口の 価格推移	1万円	2万円	5000円	1万円
一括 最初に 4万円分 購入した場合	4万円	0円	0円	0円
	4万口	0口	0口	0口
積立 毎月 1万円ずつ 購入した場合	1万円	1万円	1万円	1万円
	1万口	5000口	2万口	1万口

出典：金融庁

価格が高いときは
少なく購入
することになる

価格が安いときは
多く購入
することになる

［毎月1万円ずつ購入した場合］

- ●購入総額：4万円
- ●購入口数：計4.5万口
- ●平均購入単価：(1万口あたり) 9千円

［最初に4万円分購入した場合］

- ●購入総額：4万円
- ●購入口数：計4万口
- ●平均購入単価：(1万口あたり) 1万円

※ 口数：投資信託の取引単位

まとめ
- ☐ 積立投資は、毎月一定金額を継続して投資していく方法
- ☐ ドル・コスト平均法の効果で平均購入単価を下げることができる

「NISA＝損をしない」
というわけではない

● リターンだけでなくリスクがあることも認識しておく

　NISA は利益を保証する制度ではありません。あくまで投資なので、相応のリスクを抱えています。ただし、金融商品におけるリスクとは、「リターンの振れ幅のこと」を指します。つまり「リスクが大きい」というのは、「大きく収益が上がるかもしれないし、大きく損失が出るかもしれない」ということを表します（→ P.90 参照）。

　金融商品のリスクのうち代表的なものが、次の３つです。まず１つ目が「**価格変動リスク**」。金融商品の価格は、景気動向や企業業績、為替変動といったさまざまな要因によって日々変動しています。この価格変動によって、購入した金額を上回るリターンが得られることもあれば、損失を被ることもあります。

　２つ目が「**為替変動リスク**」です。外貨建ての金融商品は、外国為替レートの変動によって、換金・満期の際に円での受取額が購入時の金額を上回る場合と下回る場合があります。購入時よりも円安になっていれば、商品を円に換金したときに利益が生まれますが、逆に円高のときに換金をすると手取り額は減ってしまいます。

　３つ目は「**倒産リスク**」です。株式の場合はもちろん、投資信託の場合も、組み入れた株式や債券などの発行者の財務状態の悪化や倒産などで、基準価額が下落することも考えられます。そうすると、場合によっては投資元本を割り込み、損失を被ることになります。

　投資の３原則の「長期・積立・分散」を実行していくと、上記のリスクの振れ幅が軽減されて、元本割れなどのリスクが低くなる可能性が高いことを覚えておきましょう。

● リスクの内容を把握する

NISAの魅力は
利益が出たときに非課税になること!
でも、投資なので損失リスクがあります

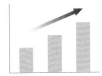

利益が出れば
NISAは魅力的!

でも……
損をする場合
もあります

3つのリスク

1 価格変動 リスク
・株式ならリアルタイムに、投資信託なら日々、価格は変動する。個別企業の状況だけでなく、政治や世界の情勢、災害などによっても大きく価格が下がることがある。
・ただし、下落が一時的な場合は、売却しなければ損失が確定することはない。

2 為替変動 リスク
・外国通貨建ての資産に投資する場合には、価格変動リスクに加えて、為替の変動リスクもある。一般的には円高(例:1ドル130円→100円)になれば価格はマイナス、円安(例:1ドル130円→150円)になれば価格はプラスになる。

3 倒産 リスク
・株式に投資している場合は、その企業が倒産することもある。倒産すると、投資していた株式の価値はゼロになる。
・投資信託には「倒産」という概念はない。当初予定されていた信託期間より早く運用を終了する(繰上償還)ことがあるが、その場合でもその時点での価額で現金化されるため、資産がゼロになるということはない。

まとめ	☐ 金融商品のリスクとは「リターンの振れ幅」のこと ☐ 代表的なのが「価格変動リスク」「為替変動リスク」「倒産リスク」

お金が貯まらない人の「パーキンソンの法則」

「思いのほかたくさんボーナスがもらえたから、これを機に貯蓄をしようと考えていたのに、気がついたら給与口座の残高がゼロになっていた」……こんなこと、皆さんも身に覚えがないでしょうか？　実はこうした人間の行動は、「パーキンソンの法則」に従っていると解釈することができます。

この法則は、「人は持っているお金や時間を無意識のうちに全部使ってしまう」というものです。心理学者のパーキンソン博士は、相当数の人々の行動を観察して、人は誰でも、何らかの制御を設けないと、あればあるだけお金（時間）を使ってしまうという法則を導きだしました。つまり、お金を貯めるには、お金を使ってしまうのを上手く制御する仕組みが必要ということなのです。

もちろん、お金が「貯まる」「貯まらない」には、性格も影響します。ただ、誰にでもあればあるだけ使ってしまう心理が潜んでいます。そのことを認識して、お金の貯まらない生活から脱却していくことが大事なのです。

★ お金が貯まらない度をチェックしよう！ ★

□ 財布の中に、今いくら入っているのか答えられない
□ 欲しかったものより金額が高いものをつい買ってしまう
□ 机の中に使わないものが3つ以上ある
□ 空腹やのどの渇きを我慢するのが苦手だ
□ 奮発・ご褒美・どうせならという言葉に弱い

当てはまるものにチェックを。チェックが多いほど「貯まらない度」は高くなります

Part

2

新NISAのスゴさを知ろう

新NISAは
現行NISAからどう変わる?

⊙ 年間投資枠がアップ、非課税期間が無期限に

現行 NISA と新 NISA の違いについて確認しておきましょう。

現行 NISA は、長期の積立・分散投資に適した投資信託（ETF）を対象とする「つみたて NISA」と、国内外の上場株式などの取引も可能な「一般 NISA」の 2 種類の制度に分かれ、年単位でどちらか一方を選択するという仕組みです。それに対して、2024 年 1 月にスタートする新 NISA では、**つみたて NISA と一般 NISA が、それぞれ「つみたて投資枠」と「成長投資枠」という名称に変わり、1 つの制度に統合。併用することが可能**になります。

新 NISA の年間の非課税投資枠は、つみたて投資枠が 120 万円、成長投資枠が 240 万円、合計で 360 万円です。現行 NISA での年間投資枠は、一般 NISA が 120 万円、つみたて NISA が 40 万円ですから、大幅に拡大されることになります。また、現行 NISA では、一般 NISA が 5 年間、つみたて NISA が 20 年間と、**非課税期間が限られていますが、新 NISA 制度では無期限になります。**

さらに、年間の非課税投資枠とは別に、生涯で活用できる非課税投資枠として**「生涯投資枠」**が新たに導入されました。**生涯投資枠は 1800 万円、そのうち成長投資枠に使えるのは 1200 万円まで**です。生涯投資枠の大きな特徴は、NISA で購入した商品を売却すると、その翌年に売却した分の非課税投資枠が復活するという点。現行 NISA では、売却しても投資枠が復活することはありませんでしたが、新 NISA では売却分を再利用することができるため、より柔軟な活用が可能になります。

● 現行NISAから新NISAへの変更点

■ 現行NISA（〜 2023年12月末）

	つみたて NISA	選択制	一般 NISA
制度の期限	2023年まで		2023年まで
非課税期間	20年間		5年間
年間投資枠	40万円		120万円
非課税保有限度額	800万円		600万円
投資対象商品	長期の積立・分散投資に適した一定の投資信託・ETF（金融庁の基準を満たした投資信託に限定）		上場株式・投資信託・ETF・REIT 等
買付方法	積立		一括・積立
対象年齢	18歳以上		18歳以上

■ 新NISA（2024年1月〜）

	つみたて投資枠	併用可	成長投資枠
制度の期限	恒久化		恒久化
非課税期間	無期限化		無期限化
年間投資枠	120万円		240万円
非課税保有限度額（総枠）	1800万円	※ 簿価残高方式で管理（枠の再利用が可能）	
			1200万円（内数）
投資対象商品	長期の積立・分散投資に適した一定の投資信託・ETF（現行のつみたて NISA 対象商品と同様）		上場株式・投資信託・ETF・REIT 等 ① 整理・監理銘柄 ② 信託期間 20 年未満、毎月分配型の投資信託及びデリバティブ取引を用いた一定の投資信託等を除外
買付方法	積立		一括・積立
対象年齢	18歳以上		18歳以上
現行制度との関係	2023年末までに現行の一般 NISA 及びつみたて NISA 制度において投資した商品は、新しい制度の外枠で、現行制度における非課税措置を適用 ※ 現行制度から新しい制度へのロールオーバーは不可		

※ ジュニア NISA は 2023 年末で廃止。投資した商品については、非課税期間（5 年）終了後、自動的に継続管理勘定に移管され、18 歳になるまで非課税で保有することが可能

出典：金融庁「新しい NISA」を基に作成

まとめ	☐ 新NISAでは、「つみたて投資枠」と「成長投資枠」の2つが併用可能に
	☐ 年間の非課税投資枠は合計で360万円に拡充
	☐ 1800万円の「生涯投資枠」が設けられた

非課税期間が無期限に
使い勝手が大幅にアップ

これまでよりも長期的かつ柔軟な活用が可能に

　現行 NISA では、一般 NISA で 5 年間、つみたて NISA で 20 年間と、非課税期間が限定されています。一方、新 NISA では、**成長投資枠・つみたて投資枠ともに非課税期間が無期限になります**。これにより 30 年や 40 年といった長期投資が非課税でできるようになり、複利の効果で資産が大きく増える効果が期待できます。

　無期限化によって使い勝手も大きくアップします。現行 NISA では、非課税期間が終わると資産を売却するか、課税口座に移管することになっています。「非課税期間が終わる間際に売却しようと思っていたら、ちょうど大暴落してしまった」という場合でも、どちらかを選ばなければならないわけです。こうしたケースでは、売却すると損失が確定してしまいますし、課税口座に移管して値上がりを待って売却すると、その値上がり益に対しては課税されてしまいます（→ P.44 参照）。

　こうした非課税期間の限定によって存在したマイナスポイントが、新 NISA ではなくなります。**非課税期間が無期限になることで、下落時には売らずに上がるまで待つことができるなど、長期的な投資戦略がとれる**ようになります。

　非課税期間の期限を気にする必要がなくなれば、家計が苦しいときには積立を一旦中止し、余裕が生まれたら再開するということも気軽にできるようになります。制度の期限にとらわれずフレキシブルに非課税で投資を続けられることは、大きなメリットといえるでしょう。

● 積立は一生涯、長く続けられる

■ 無期限化で20年を超えた投資が可能に!

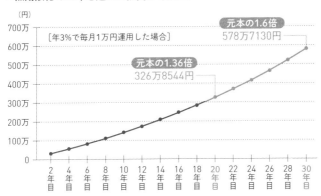

■ 積立の停止や再開も自由

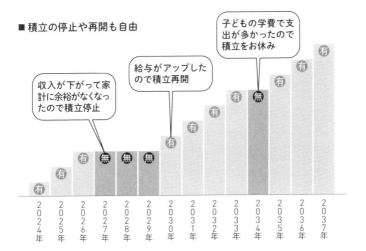

まとめ	☐ 非課税期間が無期限になり、より長期的な運用が可能に
	☐ 下落中に非課税期間が強制的に終わることがなくなる
	☐ 家計状況に合わせた投資がしやすくなる

「つみたて投資枠」と
「成長投資枠」はどう違う?

◉ 長期積立向けのつみたて投資枠、自由度の高い成長投資枠

　現行の「つみたてNISA」と「一般NISA」をそれぞれ引き継ぐ形で新たに設けられるのが、**「つみたて投資枠」と「成長投資枠」**です。つみたてNISAと一般NISAは別の制度で、同じ年に併用することができませんが、新NISAでは1つの制度の中で枠が2つに分かれる形になり、併用も可能になります。

　年間の非課税投資枠の上限は、つみたて投資枠が120万円、成長投資枠が240万円です。別勘定ではあるものの、あくまで**1つの制度なので、つみたて投資枠と成長投資枠を別々の金融機関で利用するということはできません。**

　つみたて投資枠は積立のみ、成長投資枠は一括購入・積立のどちらも可能という違いがあり、投資できる商品も異なります。**つみたて投資枠で購入できる商品は、現行のつみたてNISAと同様に一定の要件を満たした投資信託とETFのみ**。ラインナップの大部分はインデックス型の投資信託です。また、購入時手数料は無料で、保有中に発生する運用管理費用（信託報酬）も一定水準以下に限定されているなど、低コストで投資できます。そのため投資初心者はまず、こちらの枠から使うのが基本です。

　一方、**投資信託やETF以外に、株式、REITなど幅広い商品を購入できるのが成長投資枠**です。つみたて投資枠に比べて、よりハイリスク・ハイリターンな投資ができるのが特徴です。投資の知識がそれなりにあって株式投資をしたいという人や、つみたて投資枠を使っても余剰資金がある人は、この枠も活用するとよいでしょう。

● 「つみたて投資枠」と「成長投資枠」の2つの枠になる（別勘定）

	つみたて投資枠	成長投資枠
年間投資枠	120万円	240万円
投資対象商品	長期の積立・分散投資に適した一定の投資信託・ETF	上場株式・投資信託・ETF・REIT 等 ※ 次の①〜⑤を除外 ① 整理・監理銘柄 ② 信託期間20年未満の投資信託 ③ 高レバレッジ型等の投資信託 ④ 毎月分配型の投資信託 ⑤ その他条件に合致しないもの
買付方法	積立	一括・積立

投資初心者は
「つみたて投資枠」からスタート！
余裕があれば株式投資もできる
「成長投資枠」も使いましょう

まとめ	☐ つみたて投資枠・成長投資枠には年間投資枠に上限がある ☐ つみたて投資枠の投資方法は積立のみ。投資初心者向け ☐ 成長投資枠では株式投資も可能。やや上級者向け

年間360万円の非課税投資枠は
使い切らないとどうなる？

● 投資枠内であれば自由に使える。使い切らなくてもOK

　新NISAの年間の非課税投資枠は、**つみたて投資枠が120万円、成長投資枠が240万円、合計360万円**です。この投資枠は新たに投資する資金のみが対象で、つみたてNISAや一般NISA、課税口座ですでに運用している資産を新NISAに移すことはできません。

　年間の非課税投資枠の範囲内であれば、毎月どのように枠を使うかは自由です。つみたて投資枠を使って毎月一定額を積み立てるのが基本ですが、絶対に継続して投資しないといけないというわけでもありません。つみたて投資枠は年2回以上投資すれば積立と見なされるので、ボーナスのときだけ投資するといった方法もとれますし、お金に余裕が出たときは定額の積立に上乗せしたりしてもよいでしょう。「年100万円は投資に回せる」ということであれば、つみたて投資枠で毎月3万円ずつ積み立て、年2回のボーナス時には30万円ずつ積み立てるといったように、自分で組み合わせを考えればOKです。

　もちろん枠をすべて使い切る必要もありません。予算が少なければ、毎月1万円などの少額投資でもよいのです。投資初心者は、最初は少額の積立から始めて、投資の感覚に慣れたら徐々に増やしていくと安心です。

　なお、使い切れなかった枠の繰り越しはなく、上限は常に年360万円です。ムリに投資して、生活が立ち行かなくなったり、暮らしを楽しめなくなっては元も子もありません。**投資は余剰資金で行うのが鉄則**。自分のペースで投資をしていきましょう。

● 枠すべてを使い切る必要はない

新NISA口座

つみたて投資枠
年間投資枠
120万円

成長投資枠
年間投資枠
240万円

年間投資枠
合計**360万円**

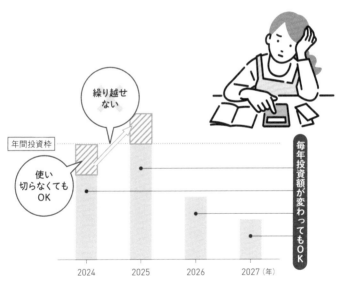

繰り越せ
ない

年間投資枠

使い
切らなくても
OK

毎年投資額が変わってもOK

2024　2025　2026　2027（年）

まとめ	☐ 年間投資枠内であれば、毎月いくら投資するかは自由
	☐ 投資枠を使い切る必要もないため、自分のペースで投資する

生涯投資枠は1800万円
引出額分は翌年に復活する!

○ **売却した投資枠が再利用できるため、使い勝手がアップ**

　新NISAでは、年間の非課税投資枠とは別に1800万円の「**生涯投資枠**」が設定されました。簡単にいうと、「**1人が一生涯に新NISAを使って投資をできるのは最大1800万円**」という意味です。なお、生涯投資枠1800万円のうち成長投資枠で使えるのは1200万円までというルールがあります。つみたて投資枠にはこの制限がなく、1800万円すべてを使い切ることが可能です。

　仮に、つみたて投資枠で年120万円、成長投資枠で年240万円と上限まで使うと、5年間で1800万円に到達します。すると、6年目以降はNISAを使って購入はできなくなります。しかし、新NISAでは、保有する商品を売却した分の非課税枠が翌年に復活するという仕組みが導入されました。そのため、**生涯投資枠の上限である1800万円に到達しても、保有資産の一部、あるいは全部を売却して引き出せば、再度非課税で投資できるようになります**。

　現行NISAの場合、保有している商品を売却しても、その分の非課税枠は復活しません。商品を購入するためにはその分の非課税枠を新たに消費する必要があるなど、気軽に売却することが難しいことがネックでした。これが解消されることは朗報です。

　また、生涯投資枠は、商品を売却するときの金額（時価）ではなく、購入したときの金額（簿価）で管理されます。仮に1800万円の枠を使い切り、運用で2500万円まで増えたところで2500万円分すべて売却したとします。すると、翌年復活するのは購入額の1800万円であり、2500万円ではないということを理解しておきましょう。

● 売却すると非課税枠が復活する

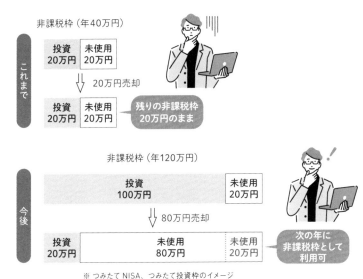

※ つみたてNISA、つみたて投資枠のイメージ

● 積み立てた運用金から一部引き出し、また積み立てて引き出すを繰り返せる

生涯投資枠
1800万

取り崩し

取り崩し

購入した金額の累計

NISA開始 ──── 運用を継続 ────→

まとめ	☐ 保有商品を売却すると、その分の投資枠が翌年に復活
	☐ 1800万円を超えても売却すれば非課税で投資できる
	☐ 復活する投資枠は購入したときの額（簿価）

新NISAを使って
ライフイベント費を準備しよう

● 目標を明確することで投資に前向きになる

　新 NISA では**非課税期間が無期限化し、非課税投資枠も拡大**。資産の引き出しはいつでも・いくらでもできて、売却すると翌年その枠が復活するという仕組みも取り入れられるため、現行 NISA に比べて使い勝手が大きく改善します。とはいえ、新 NISA をどう活用するかは、自分で考えなくてはなりません。

　何のために資産をつくるのかは人によって変わりますが、大きなお金がかかるのが、右ページにあるようなライフイベントです。なかでも早めに準備をしておきたいのが、「**人生の３大支出**」の資金。人生の３大支出とは、「**住宅資金**」「**教育資金**」「**老後資金**」です。一般的に、住宅購入の資金には 4000 万円以上、大学の学費には 400 万円以上、老後資金には 1000 万円以上は必要といわれており、人生の中でとくに出費が多くなるイベントです。

「なんとなくお金を貯めたい」という気持ちでは、せっかく NISA でつくったお金をすぐに引き出して使い込んでしまうかもしれません。長期投資ができる新 NISA のメリットを生かすためには、何のためにいつまで、いくら資産をつくりたいのかを明確にすることが大切です。具体的な目標をもつことで、家計をやりくりして投資に回すお金を増やしたり、投資の勉強をする気持ちになるはずです。

　家族で海外旅行、大きな買い物など、３大支出以外の目標を立てるのも自由です。いずれにせよ、今後の人生で何にどのくらいお金が必要になりそうか、何をしたいのかを整理し、目標をはっきりさせたうえで計画的に新 NISA を活用していくとよいでしょう。

● 新NISAはライフイベントに合わせて使う

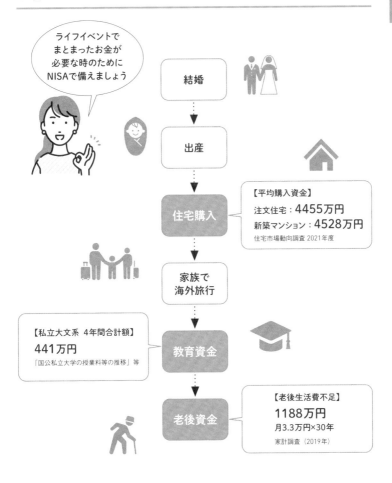

ライフイベントで
まとまったお金が
必要な時のために
NISAで備えましょう

結婚

↓

出産

↓

住宅購入

【平均購入資金】
注文住宅：4455万円
新築マンション：4528万円
住宅市場動向調査 2021年度

↓

家族で
海外旅行

↓

【私立大文系 4年間合計額】
441万円
「国公私立大学の授業料等の推移」等

教育資金

↓

老後資金

【老後生活費不足】
1188万円
月3.3万円×30年
家計調査（2019年）

まとめ	☐ 人生の3大支出への準備は早めに行う ☐ 目標を明確にすることがゴールへの近道

家計のバランスシートをつくってみよう

　貯まらない体質から脱却するには、毎月の家計管理が重要です。まずは現在の家計資産が総合的にプラスなのかマイナスなのかを把握することから始めましょう。

　資産状況を整理するのに役立つのが「バランスシート」です。

　ここにすべての資産と負債を書き出すことで、家計簿だけでは分からなかった家計資産の健全度が見えるようになります。

　資産にあたるのは、現金や預貯金、有価証券などの金融商品。また、貯蓄性の保険や土地、持ち家などの不動産も資産の一つです。

　一方の負債は、住宅ローンや車のローンなど、いわゆる借金のことです。奨学金の借入額や分割で購入したスマホ端末の料金なども隠れた負債ですので忘れずに記載します。

　資産から負債を引いた残りが「純資産」。負債を減らして純資産をプラスにすることが将来の安定した生活につながります。

★ 家計のバランスシートをつくってみよう ★

資産		
金融資産	現金・普通預金	万円
	定期預金	万円
	財形貯蓄	万円
	債券（国債など）	万円
	個別株式	万円
	投資信託	万円
実物資産	自宅不動産	万円
	その他（　　　）	万円
資産合計 Ⓐ		万円

負債	
住宅ローン	万円
奨学金	万円
その他（　　　）	万円
負債合計 Ⓑ	万円

資産合計 Ⓐ		負債合計 Ⓑ
万円	−	万円

=	純資産合計
	万円

Part

3

現行NISAを
利用している場合
どうなる?

現行NISA口座があれば
自動的に新NISA口座も開設される

現行 NISA（つみたて NISA あるいは一般 NISA）をすでに利用している場合、新 NISA が始まるとどうなるのでしょう。

まず、**2023 年以前に現行 NISA を利用している場合は、同じ金融機関に自動で新 NISA 口座が開設されます**。そのため口座開設の手続きはとくに必要ありません。

2024 年 1 月に新 NISA が始まったあとも、現行 NISA で投資した資産は非課税期間終了まで非課税のまま保有することができます。一般 NISA なら 5 年間、つみたて NISA なら 20 年間です。つまり、一般 NISA で 2023 年に投資した資産は 2027 年まで、つみたて NISA で 2023 年に投資した資産は 2042 年まで非課税で引き続き保有できるということです。

なお、**現行 NISA で運用していた商品を、新 NISA に移管することはできず**、新 NISA とは別の枠で保有することになります。もちろん、非課税期間が終了するまでは、売却益や配当金に税金はかかりません。また、現行 NISA とは違う金融機関で新 NISA を始めたとしても、現行 NISA を利用していた金融機関でそのまま保有することになります。

現行 NISA の保有商品は、非課税期間が終了するまでに売却するか、そうでなければ課税口座（特定口座や一般口座）に移管されることになります。その場合、気をつけておくべきこともあるので（→ P.44 参照）、現行 NISA については、出口戦略をどうするか早めに考えておくことも大切です。

● 現行NISA口座と新NISA口座は別々の管理になる

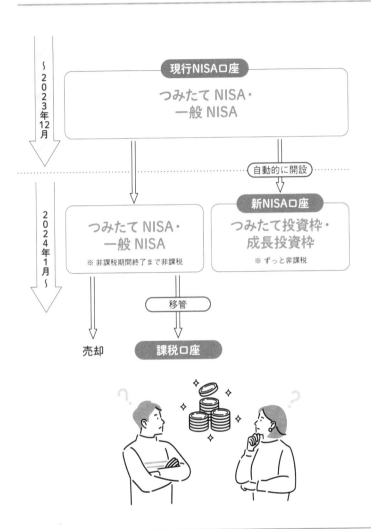

現行NISA口座

つみたて NISA・
一般 NISA

自動的に開設

新NISA口座

つみたて NISA・
一般 NISA

※ 非課税期間終了まで非課税

つみたて投資枠・
成長投資枠

※ ずっと非課税

移管

売却

課税口座

~2023年12月

2024年1月~

まとめ	☐ 現行NISAを利用していれば自動で新NISA口座が開設される
	☐ 新NISAスタート後も、現行NISAの商品は非課税で保有できる
	☐ 現行NISAは非課税期間が終了する時の出口戦略を考える

現行NISAが満期になる時の注意点は？

● 課税口座に移したときの時価が新しい取得価格になる

　一般NISA・つみたてNISAの非課税期間が終了するときには、「**売却する**」もしくは「**課税口座（特定口座や一般口座）へ移管する**」**のどちらかを選択することになります**。このうち課税口座へ移管する際に注意しなくてはいけないのが、**移管時の時価が新しい取得価格になるという点**です。具体例とともに見ていきましょう。

　まず、含み益が出ているケースです。NISA口座で100万円で購入した商品が、非課税期間終了時に150万円に値上がっていたとします。このときの基本的な選択肢は「売却」です。しかし、「これからまだまだ値上がりしそう」と思い、売却せずに課税口座に移して、その後180万円まで値上がったとします。本来なら80万円値上がりしていますが、新しい取得価額が150万円なので、値上がり益は30万円とみなされ、課税額を抑えることができます。

　このように、課税口座に移す時点で値上がっていて、なおかつ、その後も相場が上昇するのであれば「課税されてもいいから値上がりを狙う」という戦略が功を奏します。

　次に、含み損があるケースです。100万円で購入した商品が、非課税期間終了時に80万円まで値下がっていたとします。そのまま課税口座に移し、その後110万円まで値上がりすると、本来なら10万円の利益です。しかし新しい取得価額が80万円なので、30万円の利益があったとみなされて、本来より多く課税されてしまうのです。**含み損がある場合には、課税額を上回る利益が出るまで待つか、損切りすることも検討しましょう。**

● 現行NISAの満期に注意（つみたてNISAの例）

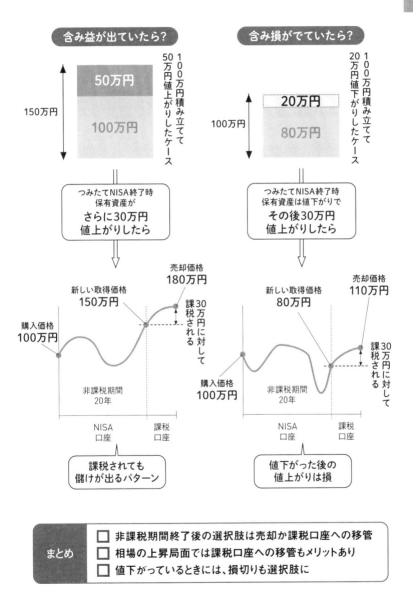

含み益が出ていたら？

100万円積み立てて50万円値上がりしたケース

150万円

50万円

100万円

つみたてNISA終了時
保有資産が
**さらに30万円
値上がりしたら**

売却価格
180万円

新しい取得価格
150万円

30万円に対して課税される

購入価格
100万円

非課税期間
20年

NISA
口座　　課税
口座

**課税されても
儲けが出るパターン**

含み損がでていたら？

100万円積み立てて20万円値下がりしたケース

100万円

20万円

80万円

つみたてNISA終了時
保有資産は値下がりで
**その後30万円
値上がりしたら**

売却価格
110万円

新しい取得価格
80万円

30万円に対して課税される

購入価格
100万円

非課税期間
20年

NISA
口座　　課税
口座

**値下がった後の
値上がりは損**

まとめ	□ 非課税期間終了後の選択肢は売却か課税口座への移管 □ 相場の上昇局面では課税口座への移管もメリットあり □ 値下がっているときには、損切りも選択肢に

45

つみたてNISAの資産は
最長2042年まで保有できる

◎ つみたてNISAの資金を新NISAの投資資金に充てる方法も

つみたて NISA の非課税期間は 20 年間で、2023 年中に購入した分は 2042 年まで非課税で運用することができます。**NISA の資金はいつでも引き出して現金化できるので、ライフイベントなどまとまった資金が必要なタイミングに合わせて引き出し、活用するとよいでしょう。**ただし、積立投資は運用期間が長いほど資産が増えるパワーが増し、短ければ少なくなります。そのため、ある程度の期間は引き出さずに運用を続けるのが基本です。

もちろん 20 年間の満期まで運用し、非課税期間を最大限活用するのもよいでしょう。ただし、ちょうど非課税期間が終了する時期に大暴落するといったリスクもなくはありません。**長期運用であっても 1 年に 1 回など定期的に資産や市場の状況を確認するようにしましょう。**

また、Sec.013 で解説したとおり、つみたて NISA を利用している場合は、新 NISA の口座が自動的に開設されます。2024 年 1 月以降の積立は新 NISA のほうで行われますが、新 NISA は生涯投資枠が 1800 万円と大きいので、そこに充てる資金として、つみたて NISA の資金を使うという方法もあります。

つみたて NISA の方をすべて売却してしまえば、つみたて NISA と新 NISA 両方の口座を管理するというわずらわしさからも解放され、なおかつ新 NISA 側で非課税期間の期限を気にせずに運用することができます。そのため、含み益があるタイミングでつみたて NISA の売却を検討するのもよいでしょう。

● つみたてNISAは20年間保有しても途中で解約してもOK

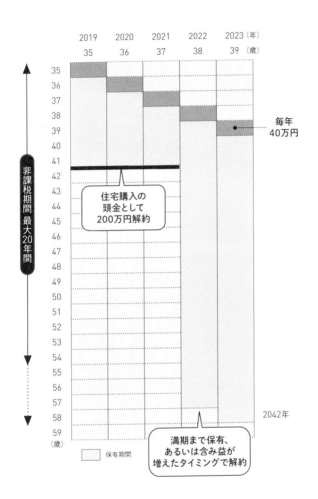

非課税期間 最大20年間

毎年
40万円

住宅購入の
頭金として
200万円解約

2042年

満期まで保有、
あるいは含み益が
増えたタイミングで解約

保有期間

まとめ	□ つみたてNISAの資金は自由に引き出して使える
	□ 運用が長期に渡る場合は時々資産や市場をチェックする
	□ つみたてNISAの売却益を新NISAに回してもよい

一般NISAの資産は
2027年まで別口座として継続できる

一般NISAは、値上がりのタイミングで売却を

一般NISAの非課税期間は5年間。非課税期間の短い一般NISA
には、ロールオーバーという仕組みがありました。これは、非課税
期間終了時、手続きをして新たな一般NISAの投資枠に移すことで、
さらに5年間非課税で運用を続けることができる仕組みです。しか
し2024年には新NISAが始まるため、その後はロールオーバーが
できなくなります。つまり、**2019年以降に一般NISAで購入し
た商品は売却しない限り、順次、課税口座に払い出されます**。なお、
非課税期間が20年間と長期のつみたてNISAや、恒久化された新
NISAには、もともとロールオーバーの仕組みはありません。

さて、課税口座へ移管する際、注意すべきなのは**「移管時の時価
が新しい取得価格になる」**ことです。移管時にもし値下がりしてい
て、課税口座に移した後に値上がりしてしまうと、本来よりも余分
に課税されてしまうという困ったことが起こります（→ P.44参照）。

その対応策としては、非課税期間中の利益が出ているタイミング
で手を打つことです。売却して非課税の恩恵を受ける、あるいは運
用を続けたいのであれば、非課税期間終了前でも課税口座に払い出
して運用を続けるという対応をとりましょう。

ただ、一般NISAは非課税期間が5年という短い期間なので、
非課税期間終了までに値上がりのタイミングが訪れないことも考え
られます。非課税期間終了まで保有しても値下がったままであれば、
損切りする、あるいは課税額を超える利益が出るまで課税口座で
じっくり待つなど、戦略を考えましょう。

● 一般NISAはロールオーバーができなくなる

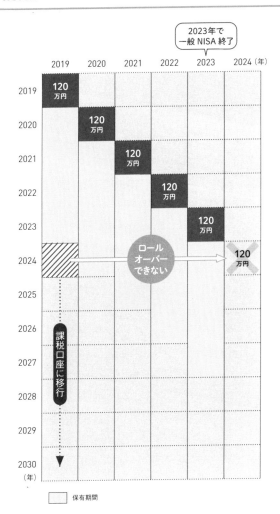

保有期間

まとめ	☐ 2024年以降、一般NISAのロールオーバーはできなくなる ☐ 値上がりのタイミングで売却か課税口座への払い出しをする ☐ 値下がっていたら損切りか課税口座で値上がりを待つ

ジュニアNISAは2023年末で廃止

2024年以降はいつでも資金が引き出せるようになる

　未成年専用の「ジュニア NISA」が利用できるのは 1 月 1 日時点で 18 歳未満の人。**年間の非課税投資枠は 80 万円まで、非課税期間は 5 年間、購入できるのは一般 NISA と同様に、上場株式や投資信託、ETF、REIT などです。**

　このジュニア NISA も、新 NISA のスタートに合わせて 2023 年末の廃止が決定しました。2024 年以降、5 年間の非課税期間を終える資金は、ジュニア NISA 口座内の継続管理勘定へと自動的に移管されます。その後は、子どもが成人するまで非課税で運用を続けることができます。

　また、廃止に伴って元々あった「引き出し制限」が撤廃されたのも大きなポイントです。元々、ジュニア NISA は災害時などの例外を除いて、子どもが成人するまでは口座内の資金を引き出すことができませんでした。もし引き出す場合には、課税されてしまうというルールだったのです。ところが、制度の廃止に伴い、この引き出し制限が撤廃。**2024 年以降は、18 歳になるまでは非課税で運用が続けられるうえ、いつでも引き出し可能**になります。

　成人を迎えると（18 歳以降）、資金が課税口座へと移されてしまうので、成人するまでの値上がったタイミングで売却するといいでしょう。注意点としては、資金を引き出す際に、少しずつ取り崩すということができないということです。**必ず一括での引き出しとなるので覚えておきましょう。**

● ジュニアNISA廃止後のイメージ

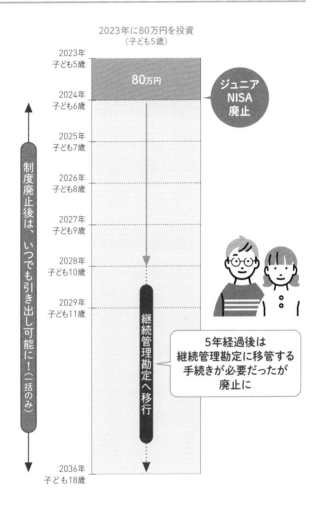

2023年に80万円を投資
（子ども5歳）

2023年 子ども5歳	80万円
2024年 子ども6歳	ジュニアNISA廃止
2025年 子ども7歳	
2026年 子ども8歳	
2027年 子ども9歳	
2028年 子ども10歳	
2029年 子ども11歳	継続管理勘定へ移行
2036年 子ども18歳	

制度廃止後は、いつでも引き出し可能に！（一括のみ）

5年経過後は継続管理勘定に移管する手続きが必要だったが廃止に

まとめ

- ☐ 2023年でジュニアNISAは廃止だが18歳まで保有可能
- ☐ 引き出し制限がなくなり、いつでも一括で引き出せる
- ☐ 成人するまでに非課税で売却するのがベスト

2023年にNISAを始めてもよい?

　本書が発売になるのは、新NISAがスタートする少し前。もしも「もっと早くNISAを知っていればよかった……」と後悔している人がいたら、2023年中に大急ぎで現行NISAを始めるという手があります。

　現行NISAは2023年末まで利用できますし、口座開設にもそれほど時間はかかりません。現行NISAは新NISAとは別の扱いになるので、現行NISAを使えば、その分多く非課税で投資することができます。

　一般NISAは120万円、つみたてNISAは40万円が上限で、どちらかを選んで利用する必要があります。ジュニアNISAも2023年末までは使えますので、子どもがいるのであれば80万円まで投資し、将来の教育費に充てるのもよいでしょう。

　この方法が使えるのは2023年までの期間限定です。手元資金があるのであれば、急いで行動に移しましょう。

★2023年からNISAを始めれば、投資枠はその分増える★

	現行NISA			新NISA
	一般NISA	つみたてNISA	ジュニアNISA	
2023年まで	120万円	40万円	80万円	——
2024年から		——		1800万円 (年間360万円)

一般NISA(120万円)
つみたてNISA(40万円)　＋　新NISA(1800万円)　＝
ジュニアNISA(80万円)

1920万円
1840万円
1880万円

最大でこの
非課税投資が
可能に!

Part

つみたて投資枠の
商品選びは?

つみたて投資枠は
厳しい要件をクリアした投信ばかり

◉ つみたて投資枠の対象商品の要件をチェック

　新 NISA の「つみたて投資枠」で購入できる投資信託（投信）・
ETF は、現行のつみたて NISA 対象商品と同様に、**金融庁の設定し
た要件をクリアした長期の積立投資に適したものに限定**されていま
す。対象の商品は、金融庁のホームページで確認することができます。

　つみたて投資枠の対象商品は、投資にかかるコストが低いのが特
徴です。**購入時にかかる手数料は無料。投資信託を保有している間
にずっとかかり続ける信託報酬（→ P.58 参照）にも上限が設けら
れています。**

　投資信託（公募株式投資信託）の信託報酬は、「インデックス型」
の場合、国内資産を対象に投資するものは 0.5％以下、海外資産を対
象に投資するものは 0.75％以下が要件で、「バランス型」もこれと同
じ基準になっています。それ以外の「アクティブ型」にあたる投資
信託は、国内資産を対象に投資するものは 1％以下、海外資産を対
象に投資するものは 1.5％以下と定められています。

　投資信託の一種である ETF（上場株式投資信託）は、さらにコス
トが低く、信託報酬は 0.25％以下。ETF は販売会社などを通さずに
リアルタイムで売買できるという特徴があり、いわば投資信託と株
式の中間のような金融商品です。

　また、インデックス型やバランス型と比べて値動きが激しいアク
ティブ型では、「純資産額 50 億円以上」「信託開始以降 5 年経過」「信
託期間の 2/3 で資金流入超」という要件が加わり、より厳格な基準
が設けられています。

● 新NISA「つみたて投資枠」対象商品の要件

商品分類			信託報酬 （税抜）	手数料	その他
公募株式投資信託	インデックス型 バランス型	国内資産を対象	0.5% 以下	売買手数料 解約手数料 口座管理料 すべて無料	—
		海外資産を対象	0.75% 以下		
	上記以外の投信 （アクティブ型など）	国内資産を対象	1% 以下		・純資産額 50 億円以上 ・信託開始以降 5 年経過 ・信託期間の 2/3 で資金流入超
		海外資産を対象	1.5% 以下		
ETF（上場株式投資信託）	国内取引所に上場		0.25% 以下	売買手数料 1.25%以下 口座管理料 無料	・円滑な流通のための措置が講じられているとして取引所が指定するもの ・最低取引単位 1000 円以下
	外国取引所に上場				・資金残高 1 兆円以上 ・最低取引単位 1000 円以下

対象の投資信託 合計 **245**本	インデックス型： **108**本 バランス型： **99**本 アクティブ型： **30**本 ETF： **8**本

※ 上記は現行のつみたて NISA の本数（2023 年 7 月 12 日時点）。
最新データは金融庁ホームページ参照

まとめ	☐ 安定的な投資ができるよう要件が設けられている ☐ 値動きの激しいアクティブ型の要件はより厳しい

つみたて投資枠の
基準が生まれた理由

◉つみたてNISAが生まれた背景を振り返る

　Sec.018 では、つみたて投資枠の対象商品の要件について見てきました。この基準は、現行のつみたて NISA で定められた内容を引き継いでいます。しかし、**なぜこのような厳しい基準が設けられているのでしょうか？** その理由を知るためには、つみたて NISA が生まれた背景から見ていく必要があります。

　つみたて NISA が始まる以前の日本では、**投資信託の長期の積立・分散投資によって資産形成を行うという考え方が浸透していませんでした**。販売されている投資信託は、「短期的な運用のもの」「手数料が高いもの」「毎月分配型のもの」「レバレッジをかけたもの」など長期で積み立てるには不向きな商品が大半でした。それが投資をする人が少ない1つの要因となっていたのです。

　こうした状況を変えるべく誕生したつみたて NISA では、対象商品に厳しい基準を設けることで、長期の積立・分散投資をしやすくする狙いがありました。つみたて NISA が始まった 2016 年当初は、こうした厳しい基準を満たす投資信託はまだ少なく、条件を満たし、金融庁に申請できるものはわずか 50 本程度でした。それが現在は 245 本（2023 年 7 月時点）にまで増えました。特に、低コストのインデックス型の増加が著しく、インデックス型の信託報酬の平均も低下傾向にあります。

　世の中にはいまだに長期の積立・分散投資に向かない投資信託もたくさん存在します。それを回避するためにも、投資初心者は NISA を活用し、資産形成をするのがおすすめです。

つみたて投資枠の対象投資信託 6つの条件

公募株式投資信託の場合、以下の要件をすべて満たすもの

1. 販売手数料はゼロ（ノーロード）

2. 信託報酬は一定水準以下（例：国内株のインデックス投信の場合 0.5％以下）に限定

3. 顧客一人ひとりに対して、その顧客が過去 1 年間に負担した信託報酬の概算金額を通知すること

4. 信託契約期間が無期限または 20 年以上であること

5. 分配頻度が毎月でないこと

6. ヘッジ目的の場合等を除き、デリバティブ取引による運用を行っていないこと

昔の投資信託はどこが問題だった？

既存のすべての投資信託

◎ 既存の投資信託の大半は、長期の積立・分散投資による資産形成に不向き。

◎ ・短期的な運用のもの（信託期間 20 年未満のものが全体の約 8 割）
・手数料の高いもの（販売手数料の平均 2.5％）
・毎月分配型のもの（売れ筋商品の約 9 割）
・レバレッジをかけたもの（日経 225 の 2〜3 倍の値動き）等は、つみたて NISA の対象から除外

つみたて NISA の対象商品

◎ 一般的なインデックス投信（パッシブ運用）を基本。
例）国内外の株式・債券に分散してインデックス投資をするもの、日経 225 等にインデックス投資をするもの

◎ アクティブ運用投信は、例外的に、継続して投資家に支持・選択され、規模が着実に拡大しているもののみ対象。

◎ 金融庁への届出制。

◎ 販売手数料は 0％。

◎ 毎年の運用管理費用にも上限（国内インデックス投信は 0.5％等）を設け、低コストの商品に限定。

◎ 運用管理費用の金額は、毎年、投資家に通知。

◎ 販売会社は、提供する商品がどのような顧客に適しているか等を公表し説明。

※ つみたて NISA スタート前の金融庁資料より

まとめ
- ☐ 基準を設けたことで、長期の積立・分散投資がしやすくなった
- ☐ NISAなら投資初心者でも安心して投資できる

つみたて投資枠の投資信託は
信託報酬が低い

◉ 長期積立投資では、信託報酬の低い投資信託を選ぶのが基本

投資信託を選ぶ際に必ずチェックすべきポイントが「信託報酬」です。信託報酬とは、投資信託の保有時に、運用・管理費として差し引かれる手数料のこと。たとえば「**信託報酬 0.1%**」というケースでは、**保有額に対し、年率 0.1% が運用会社に支払われる**ことになります。

信託報酬は、投資信託の保有期間中はずっと引かれ続けるため、長期運用では、将来受け取る資産に大きな影響を与えます。信託報酬が1% 違うだけでも、長期の運用では数十万円単位の差が生じることもあります。そのため、投資信託を選ぶ際には、できるだけ信託報酬の安いものを選ぶことがセオリーとなります。

つみたて投資枠では信託報酬に上限が設けられています。たとえば、インデックス型の国内資産を対象に投資する投資信託の場合、信託報酬は 0.5% 以下という要件が定められており、その上限を超える投資信託は対象から外れます。

近年では、信託報酬を抑えた投資信託が数多く登場したことで、運用会社の中で信託報酬の熾烈な引き下げ競争が巻き起こっており、なかには信託報酬が 0.1% を下回るような商品も登場してきています。その結果、つみたて投資枠の対象投資信託の信託報酬の平均値は、かなり低い水準となっています。

ただし、信託報酬が大幅に引き下げられているのは基本的にはインデックス型。アクティブ型に関しては、上限は設けられているもののいまだに信託報酬が高い商品もあるため、注意が必要です。

● つみたてNISA設定時に投資信託の信託報酬は下がった

■ インデックス型

分類	商品数	信託報酬の上限	つみたてNISA対象の投信の信託報酬の平均
株式型	55		0.33
► 国内	27	0.50	0.27
► 海外	27	0.75	0.37
► 内外	1	0.75	0.48
資産複合型	44		0.35
► 国内	2	0.50	0.22
► 海外	1	0.75	0.6
► 内外	41	0.75	0.35
統計	99		0.34

(% 税抜) (% 税抜)

■ アクティブ型など

分類	商品数	信託報酬の上限	つみたてNISA対象の投信の信託報酬の平均
株式型	9		1.08
► 国内	5	1.0	0.95
► 海外	2	1.5	1.50
► 内外	2	1.5	0.98
資産複合型	6		1.12
► 国内	0	1.0	──
► 海外	0	1.5	──
► 内外	6	1.5	1.12
統計	15		1.09

(% 税抜) (% 税抜)

※ つみたて NISA スタート前の金融庁資料より

● 信託報酬の違いはリターンに大きく影響する

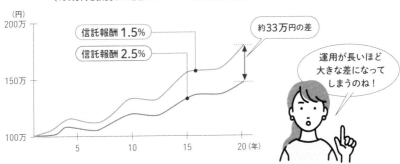

■ 信託報酬が1%違う場合の資産総額
（100万円を投資した場合のイメージ　信託報酬控除前リターン4.5%）

信託報酬 1.5%
信託報酬 2.5%
約33万円の差

運用が長いほど大きな差になってしまうのね！

まとめ	☐ 熾烈な引き下げ競争の結果、信託報酬の低い商品が増加
	☐ アクティブ型はいまだに信託報酬が高い商品も多いため、要注意

投資信託は運用方法によって 大きく2種類に分かれる

◉ 投資初心者におすすめしたいのはインデックス型

　投資信託は、**運用方法によって「インデックス型」と「アクティブ型」という2つのタイプに大別することができます。**

　インデックス型は特定の指数（ベンチマーク）に連動することを目指すタイプの投資信託。代表的指数には、国内株式の場合、TOPIX（東証株価指数）や日経平均株価など、外国株式の場合、MSCI ワールド・インデックス、S&P500などが挙げられます。

　一方のアクティブ型は、運用会社が独自に銘柄選択や資産配分を行い、指数を上回るリターンを目指して積極運用するタイプの投資信託です。

　インデックス型が指数への連動を目指して機械的に銘柄選びをする一方で、アクティブ型は運用会社が銘柄を分析し投資先を選びます。その手間がかかる分、アクティブ型の方がより信託報酬が高くなる傾向にあります。また、インデックス型の運用実績は指数と連動するので値動きが比較的分かりやすいのに対して、アクティブ型の値動きは予想しづらい面があります。**投資初心者は、コストが安く、値動きの分かりやすいインデックス型を選ぶのが基本**です。

　また、投資信託は投資対象や地域によっても分類されます。国内株式・外国株式・国内債券・外国債券の4つが、基本の投資先となります。一般的には、株式の方が債券よりもハイリスク・ハイリターン。また、国内よりも海外の資産の方が、ハイリスク・ハイリターンとなります。この他にも不動産に投資する REIT や複数の資産に投資を行う**バランス型**と呼ばれる商品もあります。

● 投資信託の種類

① 運用方法による分類

投資信託 A
投資信託 B

■ ベンチマーク

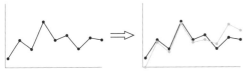

■ インデックス型

■ アクティブ型

投資信託が運用する際に
目標とする基準

ベンチマークに連動した
値動きで、変動の差は少
ない。安定的な運用が見
込める。

ベンチマークを上回る成
績を目指す。投資信託ご
とに成績にバラつきが見
られる。

② 投資対象による分類

投資対象 投資先	株式	債券	不動産 （REIT）	その他資産
国内	国内株式型	国内債券型	国内不動産 投信	その他
資産複合型（バランス型）				
海外	外国株式型	外国債券型	外国不動産 投信	その他

③ 地域による分類

| 日本国内 | よく知っているなじみのある企業が多い

| 先進国 | 欧米などの先進国。世界的に有名な企業も多く、値動きはやや安定

| 新興国 | 中国やインドなど今後の経済成長が期待される国。変動幅が大きい

| まとめ | ☐ 投信は運用方法によってインデックス型とアクティブ型に分かれる
☐ 基本的な分類は国内株式・外国株式・国内債券・外国債券の4つ |

NISA初心者なら
「株式型インデックス投信」で始める

● NISAでの長期積立投資なら、株式型での積極運用が◎

　NISA 初心者が、つみたて投資枠で積立投資を始める際には、**基本的には債券型よりも株式型の投資信託を選ぶことをおすすめし**ます。特に運用期間が最低 10 年以上確保できる場合は、リターンの大きい外国株式型による積極運用で資産をどんどん増やしていきたいところです。

　NISA 初心者の中には、株式型のリスク面を怖がる人もいるかもしれません。たしかに、株式は債券と比べると値動きが大きく、大きな値下がり局面が訪れることもあるかもしれません。しかし、毎月同じ金額を積み立てることで「ドル・コスト平均法」が働き、投資期間が長期になればなるほどリスクは平準化されます。また、投資信託の場合、幅広い地域に分散投資することで、リスクを分散することもできます。そのため、過度に怖がる必要はありません。

　長期的にみれば世界経済は右肩上がりで成長しています。その前提に立って長期運用すれば、経済成長の恩恵を受けることができるはずです。実際に、2008 年のリーマンショックで株価は大暴落しましたが、その 5 年後には暴落前の水準まで回復し、その後それを上回る価格まで上昇しています。

　また、長期投資では手数料を低く抑えることが大前提となります。

　特に保有中ずっと払い続ける信託報酬は、将来の資産額に大きな影響を与えることから、信託報酬の高いアクティブ型は基本的にはおすすめできません。そのため、**株式型インデックス投信が、新NISA 初心者が選ぶべき商品の最適解**といえるでしょう。

● 1年間の投資収益の比較

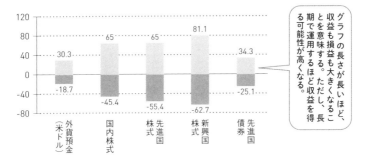

グラフの長さが長いほど、収益も損益も大きくなることを意味する。ただし、長期で運用するほど収益を得る可能性が高くなる。

※ 期間：1996年1月～2016年1月（20年間）のデータをもとに作成
※ 月末時点で各資産へ1年間投資した場合の最大上昇率・最大下落率を表示
※ 外貨預金（米ドル）＝ FF金利、国内株式＝ TOPIX[配当込]、先進国株式＝ MSCI コクサイ・インデックス（配当込、円ベース）、新興国株式＝ MSCI エマージング・マーケット・インデックス（配当込、円ベース）、先進国債券＝シティ世界国債インデックス（除く日本、円ベース）
※ 円ベース＝各インデックス（米ドルベース）× TTM

出典：SBI グローバルアセットマネジメント

● 長期・積立・分散投資の効果（株式）

■ 20年間毎月1万円投資した場合

出典：Bloomberg をもとに金融庁作成（期間 2001年1月～2019年12月）

| まとめ | ☐ 長期積立投資の場合、株式型のリスクを怖がりすぎる必要はない |
| | ☐ 長期投資には、信託報酬の低いインデックス型がよい |

全世界に1本で投資したいなら
「全世界株式型」

分散性と利便性に長けた全世界株式型

　株式型といっても、日本株を対象とするもの、先進国株を対象とするもの、新興国株を対象とするものなど、様々な種類があります。その中で、まず紹介したいのが、全世界の株式を投資対象とする「**全世界株式型**」と呼ばれるタイプです。

　全世界株式型とは、**世界全体の株式の値動きを示す指数に連動することを目指す投資信託のこと**。1本でアメリカやヨーロッパ諸国などの先進国株式から、中国やインドなどの新興国株式まで、世界中の株式に投資することができます。

　全世界株式型の最大のメリットは、分散性の高さです。幅広い地域に分散投資することで、ある地域の景気が悪かったとしても、他の景気のよい地域でカバーすることができるため、1国に集中して投資するよりもリスクを大幅に軽減することができます。1本で世界中の株式に投資できる利便性も大きな魅力といえるでしょう。こうした**分散性や利便性の高さから、全世界株式型は、新NISAを始める人にとって非常に扱いやすい投資信託**だといえます。

　右ページの全世界株式型の構成国例を示した円グラフを見ると、構成比率の約60％を米国が占めています。さらに、先進国全体の比率は約89％となっており、主な投資対象が米国を中心とした先進国株式であることが分かります。一方で、新興国株式が約11％含まれていて、一般的な先進国株式型よりも高い成長力や、リスク分散の効果も期待できるのです。こうした全世界株式型の投資信託の中から選択する場合は、信託報酬の低さにも注目しましょう。

● 全世界株式型の構成国例

■ 対象インデックスの国・地域別構成比率

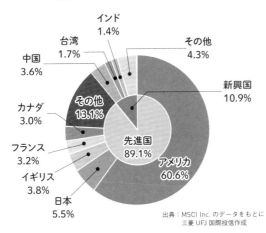

インド
1.4%

その他
4.3%

台湾
1.7%

中国
3.6%

その他
13.1%

新興国
10.9%

カナダ
3.0%

先進国
89.1%

フランス
3.2%

アメリカ
60.6%

イギリス
3.8%

日本
5.5%

出典：MSCI Inc. のデータをもとに
三菱 UFJ 国際投信作成

● 手数料が割安の全世界株式型の投資信託の例

	ファンド名	信託報酬
全世界	SBI・V・全世界株式インデックスファンド	0.1338 %
	eMAXIS Slim 全世界株式	0.1133 %
	eMAXIS Slim 全世界株式（除く日本）	0.1133 %

※ 2023 年 7 月 25 日時点

まとめ	□ 1本で幅広い地域に分散投資できる全世界株式型 □ 構成比率は米国を含む先進国の割合が多い

米国の経済成長に乗りたいなら どうする?

◉ 米国株式型インデックス投信で米国の経済成長の恩恵を受けよう

　世界的な有名企業も多く、世界経済の中心である米国の株式市場は、長期にわたって右肩上がりで成長を続けています。

　こうした米国の経済成長の恩恵を受けたい場合には、「**米国株式型」のインデックス投信**を活用するとよいでしょう。米国株式型インデックス投信は米国の株価指数をベンチマークとした商品で、これ1本で米国の株式市場全体に投資することが可能です。

　米国株式型インデックス投信がベンチマークとする米国の株価指数としては、主に「NYダウ」「ナスダック総合指数」「S&P500」の3つが挙げられますが、なかでも特に注目したいのが**S&P500**です。

　S&P500は、60年以上の歴史を持つ米国を代表する株価指数で、NYSEとナスダックに上場している企業から代表的な500社から構成されており、四半期ごとに銘柄入れ替えを検討しているため、常に知名度の高い企業が名前を連ねています。

　主な投資先としては、アップルやマイクロソフト、アマゾンなどが挙げられ、S&P500に連動する投資信託に投資することで、こうした世界的有名企業に手軽に分散投資することができるわけです。

　S&P500に連動する投資信託は成長力が高いことでも知られ、**新NISAのような長期運用を前提とした積立投資にも向いています**。ただし、全世界株式型に比べると、米国の1極集中である米国株式型はリターンが狙えると同時にリスクも高めになります。あらかじめ理解したうえで投資しましょう。

● 米国株式の主な指標は3つある

NYダウ	ナスダック総合指数	S&P500
NYダウはアメリカでもっとも古い株価指数で、正式名称を「ダウ工業株30種平均」という。米国市場に上場している企業から、ダウ・ジョーンズ社が成長性や投資家の関心の高さなどを踏まえて選んだ、マクドナルドやアップル、マイクロソフトなどの30銘柄で構成。日本の株式市場の日経225指数に近いイメージといえる	ナスダックに上場している全銘柄を対象としているのが、ナスダック総合指数。1971年2月5日の時価総額を基準とし、その値を100として算出している。近年のIT企業の爆発的な成長もあり、2020年6月に1万を超えさらに伸びている	S&P500は、NYSEとナスダックに上場している企業から代表的な500社をスタンダード・アンド・プアーズ社が選出して算出する株価指数。米国の2つの株式市場から500社をカバー。アメリカの株式市場の状態を表しているとして、世界中で参考にされている

👆これがおすすめ！

● 米国株投信（S&P連動）の主な投資先

■ 主要な資産の状況

	組入上位銘柄	業種	国・地域	構成比率
1	APPLE INC	テクノロジー・ハードウェアおよび機器	アメリカ	7.0%
2	MICROSOFT CORP	ソフトウェア・サービス	アメリカ	6.4%
3	AMAZON.COM INC	一般消費財・サービス流通・小売り	アメリカ	2.7%
4	NVDIA CORP	半導体・半導体製造装置	アメリカ	1.9%
5	ALPHABET INC-CL A	メディア・娯楽	アメリカ	1.8%
6	BERKSHIRE HATHAWAY INC-CL B	金融サービス	アメリカ	1.6%

※ S&P500に連動した投信の構成比率（2023年7月末時点）

● 米国株式型の投資信託の例

	ファンド名	信託報酬
米国系	SBI・V・全米株式インデックスファンド	0.0938 %
	たわらノーロード S&P500	0.09372%
	eMAXIS Slim 米国株式（S&P500）	0.09372%

※ 2023年7月25日時点

まとめ	☐ 米国を代表する株価指数「S&P500」に要注目 ☐ 世界的有名企業に分散投資できるのが魅力

複数の投資信託を組み合わせるなら何がよい？

投資信託の組み合わせの代表的な2つのパターンを紹介

　新NISAを利用して、複数の投資信託を組み合わせて積み立てることも可能です。しかし、投資初心者の中には「数ある投資信託をどう組み合わせればよいか分からない」と悩む人も少なくないでしょう。そこで、ここでは投資信託の組み合わせ（ポートフォリオ）の代表的な2つのパターンを見ていきます。

　1つ目は、**先進国株式型、国内株式型、新興国株式型の3本を組み合わせて全世界に投資するパターン**です。比較的値動きが安定していてリスクも相応の先進国株式型を50%組み込み、さらに、為替リスクがなく比較的安定的な国内株式型を30%組み込みます。これに値動きが激しくリターンも大きい新興国株式型を20%組み込むことで、運用益を狙います。3つのタイプの投資信託を通じて全世界に幅広く分散投資し、投資リスクを軽減できる点も、この組み合わせのメリットといえます。

　2つ目は、**全世界株式型と米国株式型を半々で組み合わせるパターン**です。P.64で解説したように、全世界株式型は先進国株式から新興国株式まで世界中の株式に投資することができる投資信託です。全世界株式型の構成比率の約6割は米国株式で構成されているため、全世界株式型に加えてわざわざ米国株式型を組み込む必要があるのか疑問に感じる人もいるかもしれません。全世界株式型は値動きが比較的安定しており、期待できるリターンもそこそこです。成長性の高い米国株式型を50%組み込むことで、長期運用中に大きく資産を増やすことも期待できるようになるのです。

● 投資信託の組み合わせ例

3つの投資信託で世界をカバー

自分で比率を決めて
全世界に
分散投資できる

新興国株式
20%

先進国株式
50%

日本株式
30%

米国株中心に先進国をカバー

全世界株式も
米国比率が高い。
積極運用の
組み合わせ

米国株式
50%

全世界株式
50%

まとめ
- □ 値動きが激しい新興国株式型を組み込むことで、運用益を狙う
- □ 積極運用したいなら、全世界株式型と米国株式型の組み合わせも◎

株式型にどうしても抵抗のある人は「バランス型」

バランス型の投資信託でリスクを抑えた安定運用

NISAで長期の積立投資をする場合は、基本的に株式型での積極運用が適しています。しかし、「投資リスクが心配で株式型に対してどうしても抵抗感がある」という人もいるでしょう。そうした人におすすめしたいのが、「バランス型投信」です。

バランス型投信は、**国内・海外の株式や債券など複数の資産への投資を1本にまとめたタイプの投資信託**。1本だけで複数の資産や地域に幅広く分散投資できて、リスク分散の効果も期待できます。また、長期の積立投資では、資産配分の比率がずれたときに修正する「リバランス」という作業が必要になることがありますが、バランス型は自動的にリバランスを行ってくれるため、購入後のメンテナンスも楽です。こうした分散性や利便性の高さから、投資初心者にも扱いやすい投資信託だといえます。

バランス型で代表的なのが、「**4資産均等タイプ**」と「**8資産均等タイプ**」の2種類。4資産均等タイプは、国内株式、先進国株式、国内債券、先進国債券の4資産を均等に配分したタイプです。債券の割合が50%を占めていることが特徴的で、株式型と比べてローリスクな安定運用を期待できます。

8資産均等タイプは、**国内株式、国内債券、先進国株式、先進国債券、新興国株式、新興国債券、国内REIT、先進国REITの8資産を均等に配分したタイプ**。不動産投信であるREITへの投資を行う点が特徴的で、4資産均等タイプと比べればリスクは高くなりますが、その分リターンも狙いやすくなります。

● バランス型は「株式」と「債券」だけか、「不動産」を加えるかで変わる

基本投資割合

バランス型4資産均等タイプの例

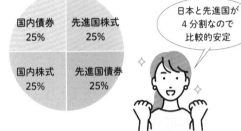

| 国内債券 25% | 先進国株式 25% |
| 国内株式 25% | 先進国債券 25% |

日本と先進国が
4分割なので
比較的安定

バランス型8資産均等タイプの例

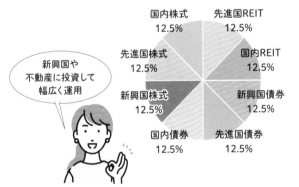

国内株式 12.5%	先進国REIT 12.5%
先進国株式 12.5%	国内REIT 12.5%
新興国株式 12.5%	新興国債券 12.5%
国内債券 12.5%	先進国債券 12.5%

新興国や
不動産に投資して
幅広く運用

まとめ
☐ バランス型はリバランスを自動的に行ってくれる
☐ バランス型は**4資産均等タイプ**と**8資産均等タイプ**が代表的

71

リスク高めでもリターンを狙いたいなら「アクティブ型」もあり

つみたて投資枠のアクティブ型なら、検討してもOK

　アクティブ型は、**ベンチマークとなる株価指数を上回る利益を目指して積極運用するタイプの投資信託**です。運用次第では大きなリターンも得られる可能性もありますが、その分だけ投資リスクも大きくなります。また、P.60で解説したように、運用会社のファンドマネジャーによる銘柄選定に費用が発生する分、**インデックス型と比べて運用コストが高い傾向にあり、投資初心者が選ぶときには注意が必要**。ただし、つみたて投資枠対象のアクティブ型は一定の要件をクリアしており、ある程度の安全性は担保されています。

　アクティブ型は、商品ごとに運用方針や特徴が異なるため、商品を選ぶ際には内容を理解したうえで、自分の投資スタイルに合った銘柄を選ぶことが大切です。

　右ページは、アクティブ型の代表的な商品のリストです。たとえば、レオス・キャピタルワークスの**「ひふみプラス」**は、市場価値が割安と考えられる銘柄を選別して投資する投資信託で、投資先が主に国内株式であるため、銘柄のリサーチ力にも信頼性があり、投資家からの評価も高いのが特徴です。また、セゾン投信の**「セゾン資産形成の達人ファンド」**は、安全性や長期的な収益力を持つ銘柄を選別して投資する投資信託で、国内外の株式に幅広く分散投資できるため、アクティブ型としては安定感も高い点も魅力です。

　リスクを受け入れて、高い手数料を上回るリターンに期待したいという人であれば、右ページのリストで挙げたような評価の高いアクティブ型で勝負に出てみるのも1つの手でしょう。

● アクティブ型の投資信託の例

投信名	委託会社名	投資分類	基準価額	特徴
ひふみプラス	レオス・キャピタルワークス	国内中型グロース	5万1445円	国内外（主に国内）の市場価値が割安と考えられる銘柄を選別して投資を行う
フィデリティ・米国優良株・ファンド	フィデリティ投信	国際株式・北米（F）	4万5828円	米国の取引所に上場されている株式を主要な投資対象とする。個別企業分析により、国際的な優良企業や将来の優良企業に投資を行う
セゾン資産形成の達人ファンド	セゾン投信	国際株式・グローバル・含む日本（F）	3万6649円	海外および日本の株式に幅広く分散投資する。それぞれの地域に強みを持ち、安全性や長期的な収益力を基準に選別投資するファンドへ投資を行う
コモンズ30ファンド	コモンズ投信	国内大型グロース	4万5770円	世界の成長を取り込める30銘柄程度の企業に集中投資を行い、長期投資を目指す

※ 基準価額は 2023 年 7 月 25 日時点

まとめ	☐ アクティブ型を選ぶ際は、商品の運用方針や特徴を要チェック ☐ リスクを受け入れられるなら、アクティブ型で勝負に出るのもあり

長期なほど効果あり!「積立パワー」

　お金は一朝一夕で貯まるものではありません。資産を増やすには、長く続けて積立パワーを生かすことが大切です。

　下図は、毎月2万円を年利1%で積み立てたときの貯蓄額を計算したもの。10年で約252万円、30年で約839万円となります。10年の場合、積立元本240万円に対して約12万円の利息がついています。一方、30年の場合、積立元本よりも約119万円多い額が貯まっています。10年のときの利息が12万円ですから、30年ではその3倍の36万円になるかと思いきや、実際は119万円と大きく増えています。

　この利息の増え方が積立パワーの源泉となる「複利効果」です。これは、利息を元本に組み入れることで、利息の元である元本自体が増え、利息も雪だるま式に増えていくというもの。積み立てる期間が長ければ長いほど、発揮される複利効果により資産はより大きくなるのです。

★ 毎月2万円ずつ積み立てていくといくら貯まる? ★

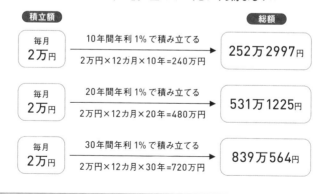

積立額		総額
毎月 2万円	10年間年利1%で積み立てる 2万円×12カ月×10年=240万円	252万2997円
毎月 2万円	20年間年利1%で積み立てる 2万円×12カ月×20年=480万円	531万1225円
毎月 2万円	30年間年利1%で積み立てる 2万円×12カ月×30年=720万円	839万564円

Part

5

つみたて投資枠を
どう生かしていく?

目的や使うタイミングによって
お金を3つに分ける

　お金は、「短期資金」「中期資金」「長期資金」の3つに分けることができます。資産を運用する際には、使う目的とタイミングに応じて資産を3つに分類し、それぞれに適した預け先を選択することが必要となります。

　「短期資金」は、明日にでも使う可能性のあるお金のことで、万一の事態に備えた生活費もそこに含まれます。必要になった際にいつでも引き出せるように、**流動性の高い普通預金や短期の定期預金などに預けておく**とよいでしょう。

　「中期資金」は、10年以内に予定されているライフイベントに備えたお金のことで、結婚資金や住宅購入の頭金などが該当します。近い将来に確実に使うお金なので、リスクのある金融商品は原則避けるべき。そのため、定期預金や個人向け国債といった安全性の高い商品が運用先の候補に挙げられます。一部の資産は**新NISAの「つみたて投資枠」を中期資金として活用する**のもよいでしょう。

　「長期資金」は、10年以内には使う予定がないお金のことで、子どもの教育費、老後の生活費や介護費などが該当します。長期資金は運用期間が長くとれるため、投資信託の積立投資で積極運用するのも一考です。積み立ての際には、節税メリットのある**新NISAの「つみたて投資枠」や「成長投資枠」、もしくはiDeCoを活用する**ことをおすすめします。大切な長期資金を大きく目減りさせないため、ハイリスクの株式などに預ける際には、注意が必要です。

● まずはお金の分け方を整理しよう

いつ使う？	**明日かも？** （短期資金） いざというときに使うお金。6 カ月〜1 年分の生活費を備えたい	**10年以内** （中期資金） 結婚資金や住宅購入の頭金などライフイベントに使うお金	**10年以上先** （長期資金） 子どもの教育費、定年後の生活費、介護費など

⇩　　　　⇩　　　　⇩

お金の預け先に求められる要件	**流動性** 必要になったときいつでも現金を手にできる商品	**安全性** 目減りする危険が少ない商品	**収益性** 運用で高い利益が期待できる商品

⇩　　　　⇩　　　　⇩

お金の預け先	普通預金 積立定期預金	定期預金 個人向け国債 積立保険 NISA	NISA iDeCo 投資信託 株 年金保険

まとめ	☐ お金は目的や使うタイミング別に預け先を分ける ☐ 長期資金を運用する際は、新NISAを活用しよう

手持ち預金がないなら
貯蓄と投資を並行する

◉ 自分の投資スタイルによって投資先は変わってくる

　投資を始めたとしても、そのせいで日々の生活が圧迫されては元
も子もありません。そのため、投資を始める際には、まず当面の生
活費を確保しておく必要があります。具体的には、6カ月～1年分
の生活費が目安となります。

　投資を始める段階で、生活費6カ月分の**手持ち預金がない場合に
は、貯蓄と投資を並行して行うとよいでしょう**。右ページの上図の
ように、毎月の貯蓄額が2万円の場合、1万5000円を預貯金に、残
りの5000円を投資信託の積立に回すことで、預貯金を増やしつつ、
投資を始めることができます。

　いざ、投資信託の積立を始める際には、どの商品を選ぶかも重要
なポイントになります。右ページの下図では、毎月5000円を積み立
てる際の投資先を、投資スタイル別に3パターン例示しました。そ
れぞれ見ていきましょう。

　まず、積立に回した資産に10年以上手をつける予定のない人は、
長期投資が前提となるため、全世界株式型100%で積極運用してい
くとよいでしょう。一方、ライフイベントに使うため、途中で引き
出す可能性がある人は、全世界株式型で資産を増やしつつ、8資産
バランス型を50%組み込むことでリスクを軽減させましょう。また、
せっかく投資を始めたのだから色々と試したいという人は、日本、
米国、先進国、新興国それぞれの株式型に25%ずつ投資してみるの
も面白いでしょう。幅広い地域に投資することでリスク分散しつつ、
様々な地域のマーケットの動きを体感できます。

● 6カ月分の生活費が貯まっていない人は「貯めながら増やす」

たとえば……

毎月の貯蓄額が
2万円
の場合

預貯金
1万5000円

投資信託の積立投資
5000円

● 5000円は何に投資する？

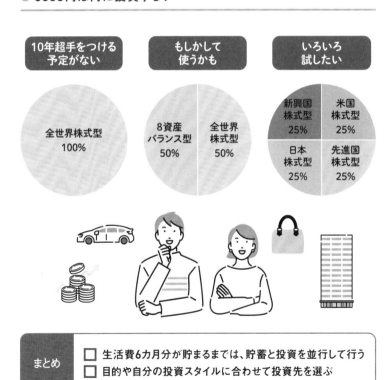

| 10年超手をつける予定がない | もしかして使うかも | いろいろ試したい |

全世界株式型
100%

8資産バランス型
50%

全世界株式型
50%

新興国株式型 25%／米国株式型 25%／日本株式型 25%／先進国株式型 25%

| まとめ | ☐ 生活費6カ月分が貯まるまでは、貯蓄と投資を並行して行う
☐ 目的や自分の投資スタイルに合わせて投資先を選ぶ |

結婚したら夫婦でもそれぞれ
つみたて投資枠を活用

夫婦の働き方によって、最適なポートフォリオは変わる

　老後の資産づくりや子どもの教育費の準備などに向けて、**結婚後は夫婦ともにつみたて投資枠を活用して資産形成を行うのがおすすめ**です。

　夫婦でつみたて投資枠を利用する場合、どのような投資信託を選択すればよいかは、夫婦の働き方によって変わってきます。

　右ページでは、「夫婦とも一生涯フルタイム」「妻はこの先、退職の可能性あり」「夫は会社員、妻はパート勤務」という3つのケース別に、おすすめのポートフォリオを例示したので、それぞれ見ていきましょう。

　まずは「夫婦とも一生涯フルタイム」ですが、比較的安定した収入があるこのケースでは、夫婦ともに株式型で積極運用していくとよいでしょう。夫は米国株式型を50%組み込み、超積極運用で資産を形成していきます。

　次に「妻はこの先、退職の可能性あり」ですが、このケースでは、夫は積極運用する一方で、妻は10年以内に引き出す可能性も想定し、バランス型を50%組み込み、安定運用を。また、妻は働いている間に少しでも多く積み立てたいところです。

　最後に「夫は会社員、妻はパート勤務」ですが、このケースでは、住宅購入や教育費などの中期資金は夫のつみたて投資枠から出すと想定し、夫のポートフォリオにバランス型を50%組み込みます。一方、妻のつみたて投資枠は老後資金と割り切り、毎月5000円でよいので株式型100%で資産形成していきます。

● 夫婦のポートフォリオの考え方

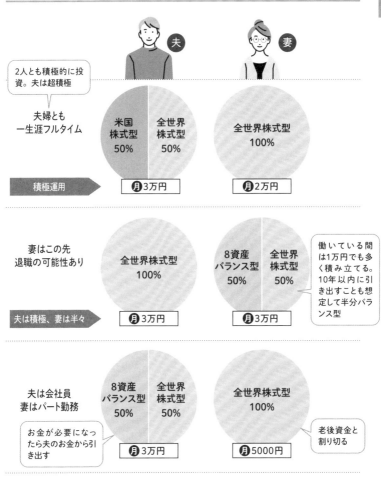

2人とも積極的に投資。夫は超積極

夫婦とも一生涯フルタイム

夫 米国株式型 50% / 全世界株式型 50%

妻 全世界株式型 100%

積極運用

月 3万円　月 2万円

妻はこの先退職の可能性あり

夫は積極、妻は半々

夫 全世界株式型 100%

妻 8資産バランス型 50% / 全世界株式型 50%

働いている間は1万円でも多く積み立てる。10年以内に引き出すことも想定して半分バランス型

月 3万円　月 3万円

夫は会社員妻はパート勤務

夫 8資産バランス型 50% / 全世界株式型 50%

妻 全世界株式型 100%

お金が必要になったら夫のお金から引き出す

老後資金と割り切る

月 3万円　月 5000円

まとめ

☐ 夫婦とも一生涯フルタイムなら、夫婦ともに株式型で積極運用を
☐ 妻がパート勤務の場合、夫はバランス型を組み込み安定運用

子どもが生まれたらつみたて投資枠で教育資金づくりを始める

◎ 18歳になるギリギリまで積立を続けるのはNG

　子育て世代にとって、マイホーム資金と並んで大きな出費となるのが子どもの教育資金です。特に子どもが大学に進学するときには、大学の入学金や学費などでまとまったお金が必要となるため、子どもが18歳になるまでに計画的に準備しておくことが大切です。

　教育資金をつくる際には、つみたて投資枠での積立が有効です。運用期間をできるだけ長くとるためにも、子どもが生まれたらすぐにつみたて投資枠での教育資金づくりを始めましょう。ただし、子どもが18歳になるギリギリまで積立を続けることはおすすめできません。なぜなら、子どもが18歳になるタイミングと市場の下落局面が重なった場合、せっかく運用してきた資産が減ってしまい、教育資金が足りなくなる恐れがあるからです。

　そのため、子どもが15歳から18歳になる間に市場の上昇局面が訪れたら、そこでつみたて投資枠を解約し、運用益を確定させ、元本割れのない定期預金や個人向け国債に預け替えるとよいでしょう。**解約のタイミングを逃さないためにも、子どもが15歳になってからは、市場の動向を日頃からチェックする**ように心掛けましょう。

　右ページのグラフは、月3万円を年5％で運用した際の資産の推移を示したもの。この計算では、子どもが15歳になる時点で約800万円の教育資金を作れることが分かります。800万円あれば、大学の入学金や学費の大部分はまかなえるため、この時点でつみたて投資枠を解約して、定期預金や個人向け国債に預け替えても十分です。

● 教育資金は18歳になる前に預け替える

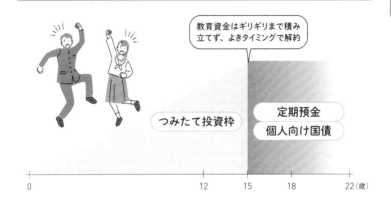

教育資金はギリギリまで積み立てず、よきタイミングで解約

つみたて投資枠

定期預金
個人向け国債

0　　　　　　　12　　15　　18　　　　22（歳）

● 月3万円を年5%で運用するといくらになる？

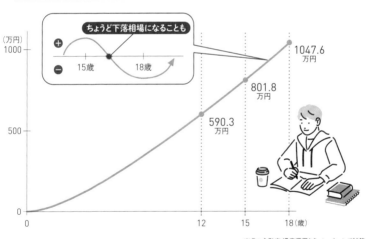

ちょうど下落相場になることも

＋
－
15歳　　　18歳

（万円）
1000

1047.6
万円

801.8
万円

590.3
万円

500

0

0　　　　　　　　　　12　　15　　18（歳）

出典：金融庁 資産運用シミュレーションで試算

まとめ	☐ つみたて投資枠は途中で解約し、安全商品に預け替える ☐ 積立投資なら、充分な教育資金を形成することも可能

マイホーム資金を
つみたて投資する時の注意点

● マイホーム資金は、値動きの少ないバランス型で運用

　マイホーム資金は、老後資金、教育資金と並んで「人生の3大支出」の1つといわれ、大きな金額となるため、前々から計画的に準備する必要があります。

　貯金でコツコツ貯めていく手もありますが、一部の資金をつみたて投資枠に回して運用することで、非課税メリットを受けながら、必要額をつくるスピードをアップしたいところです。

　つみたて投資枠でマイホーム資金をつくる際に注意したいのが、投資する商品の選び方です。マイホームを購入したい時期によって投資期間が10年以内となる場合は、元本割れのリスクも高くなるため、株式型100%による積極運用はあまりおすすめできません。それよりも、**値動きの小さいバランス型を選択するとよいでしょう。**

　ただし、右ページの図のように、バランス型にも「成長型」「安定成長型」「安定型」という3つのタイプがあり、資産の保有状況によって選ぶべきタイプは変わります。

　定期預金などで一定の貯蓄がすでにある場合には、ある程度のリスクをとって「成長型」を選び、マイホーム資金を積極的につくっていくとよいでしょう。なお、バランス型の代表的商品である8資産均等タイプも「成長型」に該当します。

　一方、充分な貯蓄がない場合には、ミドルリスク・ミドルリターンの「安定成長型」、もしくはローリスク・ローリターンの「安定型」を選び、リスクを取りすぎない安定運用を心掛けましょう。

● バランス型の中から自分に合ったタイプを選ぶ！

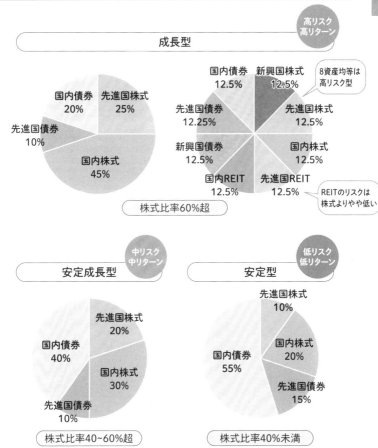

高リスク
高リターン

成長型

国内債券
12.5%

新興国株式
12.5%

8資産均等は
高リスク型

国内債券
20%

先進国株式
25%

先進国債券
12.25%

先進国株式
12.5%

先進国債券
10%

国内株式
45%

新興国債券
12.5%

国内株式
12.5%

国内REIT
12.5%

先進国REIT
12.5%

REITのリスクは
株式よりやや低い

株式比率60%超

中リスク
中リターン

安定成長型

先進国株式
20%

国内債券
40%

国内株式
30%

先進国債券
10%

株式比率40〜60%超

低リスク
低リターン

安定型

先進国株式
10%

国内債券
55%

国内株式
20%

先進国債券
15%

株式比率40%未満

バランス型なら１本で多くの投資対象に比率を決めて投資できる。
比率が崩れたら、運用会社が自動的に比率修正もしてくれるのも◎

まとめ	□ マイホーム資金は、節税メリットのあるつみたて投資枠で形成する □ 資産の保有状況によって、選ぶべきバランス型投信が変わる

50歳から始める場合の
つみたて投資枠の運用方法

◉ 新NISAは50代から始めても、決して手遅れではない

　新 NISA の利用は 50 代からでも決して遅くはありません。特に
50 代後半は、老後の資産形成へラストスパートをかけたい時期です。
定年前の「人生最後の貯め時」に新 NISA を利用しない手はありま
せん。

　右ページに、50 代から新 NISA のつみたて投資枠で積立を始める
場合の一例を示したので、見ていきましょう。

　50 歳からの 55 歳までの「教育費負担期」は、子どもの教育費の
支払いが残っており、家計に余裕がないので、月 2 万円の積立金を
捻出します。一方、55 歳から 60 歳までの「子ども独立期」では、
家計に余裕も出てくるため、つみたて投資枠の上限額である月 10 万
円を積み立て、老後資産をしっかり形成したいところです。

　60 歳から 65 歳までの「継続雇用期」は、現役時代と比べて収入
が減少するため、月 3 万円ほどに積立額を落として積立を続けます。
収入が減った段階で積立をやめてしまう人もいますが、積立期間が
10 年以下の場合、相場次第では元本割れの可能性も生じます。そこ
で、できる限り積立期間を延ばすためにも、積立額を縮小するなど
して 15 年は積立を続けるようにしましょう。

　また、50 代での積立では、資金の保有状況によって選ぶべき投資
対象が変わります。**定期預金や保険などの元本保証の資産を、老後
資金の一つの目安といわれる 2000 万円以上保有している場合は、
株式型 100% での積極運用、手持ち資金が少ない場合はバランス
型を組み込んだ安定運用がおすすめです。**

● 50代からの投信積立は15年間以上継続する

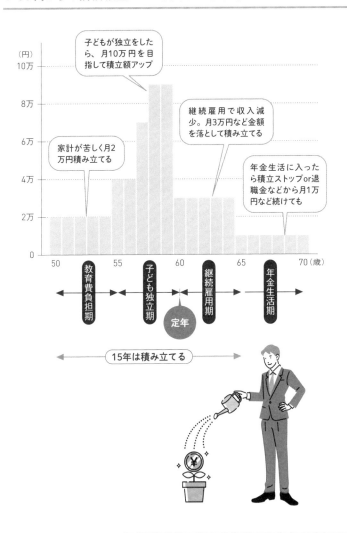

子どもが独立をしたら、月10万円を目指して積立額アップ

継続雇用で収入減少。月3万円など金額を落として積み立てる

家計が苦しく月2万円積み立てる

年金生活に入ったら積立ストップor退職金などから月1万円など続けても

（円）
10万
8万
6万
4万
2万
0

50　　　55　　　60　　　65　　　70（歳）

教育費負担期　→　子ども独立期　→　定年　→　継続雇用期　→　年金生活期

◀ 15年は積み立てる ▶

| まとめ | ☐ 継続雇用で収入が減っても、投信積立はやめずに継続しよう |
| | ☐ 手持ち資金が豊富なら株式型100%で積極運用してもOK |

つみたて投資枠を活用して
退職金を運用することも考える

60歳以降は医療費・介護費の備えが必須

60代になると年金生活が近づき収入が減るほか、若いころと比べて病気やケガへのリスクがだんだんと高まっていきます。そこで必須となるのが、**医療費・介護費への備え**です。

右ページの図は、60歳以降の医療費・介護費への備えのプランを、60～75歳、75～85歳、85歳以降の3つの時期に分けて示したものです。それぞれの時期に適した備えのプランを具体的に見ていきましょう。

60～75歳は、多くの人はまだまだ元気な時期ですが、病気やケガによって医療費や介護費が発生することも充分に考えられます。とはいえ、より負担が増える75歳以降に向けて、この時期の生活費や医療費、介護費については、**新NISAやiDeCoは温存して、預貯金などの「手持ち資金」で備えたいところ**です。

75～85歳は、後期高齢者の世代に突入し、健康不安が顕著になる時期です。医療費や介護費の負担も増していくため、それらを手持ち資金で補えなくなった場合には、**新NISAで貯めていた老後資金の一部を充ててもよい**でしょう。ここから先にかかる費用に向けて、定年退職金を新NISAのつみたて投資枠で運用し、資金を増やすのも一考です。

85歳以降になると、病気やケガによって自立した生活が困難になり、介護施設への入居を検討する人も出てくると思います。入居金は大きな出費となりますが、これまで**新NISAやiDeCoで貯めていた老後資金を現金化することで対応**しましょう。

● 60代以降は生活資金の補てん以外にも医療・介護への備えが必要

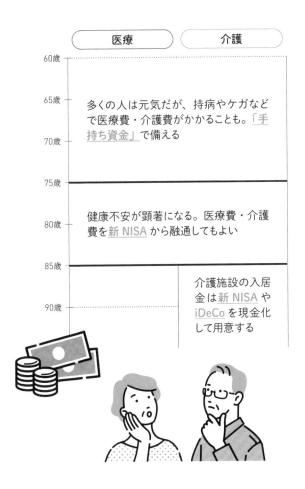

医療	介護

60歳

65歳 — 多くの人は元気だが、持病やケガなど
で医療費・介護費がかかることも。「手
70歳 — 持ち資金」で備える

75歳 ——————

健康不安が顕著になる。医療費・介護
80歳 — 費を新 NISA から融通してもよい

85歳 ——————

介護施設の入居
金は新 NISA や
90歳 — iDeCo を現金化
して用意する

まとめ

☐ **75歳までの医療費・介護費は、極力「手持ち資金」でまかないたい**
☐ **75歳以降の医療費・介護費は、iDeCoや新NISAを現金化して対応**

リスクとは「リターンの振れ幅」

　どのような金融商品にも、必ず「リターン」と「リスク」が存在します。

　リターンとは、資産運用によって得られる成果のこと。この成果には収益も損失も含まれます。たとえば株式なら、購入時と売却時の株価の差は、値上がっていれば譲渡益ですが、値下がっていれば譲渡損というリターンになります。

　一方、資産運用でのリスクは「リターンの振れ幅」を意味します。つまり「リスクが大きい」とは、「大きく収益が得られるかもしれないし、大きく損失が出るかもしれない」ということです。

　リスクとリターンはつねに表裏一体です。リスクを低く抑えようとするとリターンも低下し、高いリターンを得ようと思ったらリスクも高まります。リスクとリターンの関係をしっかりと把握し、自分のリスク許容度に合った金融商品で資産運用を行うことが大切です。

★ 大きく収益が上がる可能性がある商品は
その分、損する幅が大きい ★

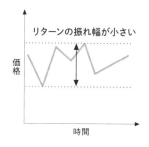

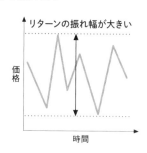

出典：日本証券業協会「投資の時間／リスクとリターン」

Part

6

成長投資枠の生かし方と
銘柄選びは?

成長投資枠はどのように使うのがよい?

◉ 攻めの運用もコツコツ運用もできる成長投資枠

　まず、積立投資でコツコツと資産運用をしたい人は、右図のケース1のように、つみたて投資枠と同じ投資信託を積み立てていく方法があります。つみたて投資枠は、投資上限額が年120万円のため、月10万円以上積み立てたい場合には投資枠をオーバーしてしまいます。そこで、足りない部分を成長投資枠で補うというわけです。**つみたて投資枠の対象投資信託は、すべて成長投資枠でも購入可能で**す。さらに、成長投資枠でも定期購入の設定ができ、自動的に買い付けが行われるので、積立投資にも利用できます。

　次に、値上がりが期待できる商品で積極的に運用したいと考える人は、ケース2のように、つみたて投資枠では購入できない商品を購入する方法があります。**成長投資枠では、長期運用に適さない商品が一部除外されてはいるものの、広範囲の商品を購入できます。**たとえば、つみたて投資枠ではインデックス型の投資信託で手堅い運用をしながら、成長投資枠では攻めの姿勢でアクティブ型の投資信託で運用するといった活用が考えられます。

　最後に、**株式投資に挑戦したいという人は、ケース3のように成長投資枠で個別株を購入することもできます。**

　改めて確認しておきたいのが、ケース1のように、成長投資枠でも積立投資が可能だという点です。成長投資枠ではスポット購入しかできないと勘違いしている人も少なくありません。使い方次第で、攻めの資産運用も低リスクの積立投資も行えるのが成長投資枠の特徴です。

● 成長投資枠はどのような使い方がある？

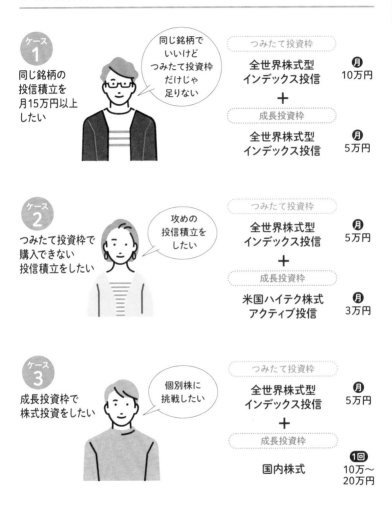

ケース1

同じ銘柄の
投信積立を
月15万円以上
したい

同じ銘柄で
いいけど
つみたて投資枠
だけじゃ
足りない

つみたて投資枠

全世界株式型
インデックス投信

月10万円

＋

成長投資枠

全世界株式型
インデックス投信

月5万円

ケース2

つみたて投資枠で
購入できない
投信積立をしたい

攻めの
投信積立を
したい

つみたて投資枠

全世界株式型
インデックス投信

月5万円

＋

成長投資枠

米国ハイテク株式
アクティブ投信

月3万円

ケース3

成長投資枠で
株式投資をしたい

個別株に
挑戦したい

つみたて投資枠

全世界株式型
インデックス投信

月5万円

＋

成長投資枠

国内株式

1回
10万～
20万円

まとめ

☐ 上場株式やアクティブ型など、リスクのある投資に挑戦できる
☐ 積立設定ができ、つみたて投資枠と同じ商品で運用もできる
☐ コツコツ運用と高リスク運用の併用も可能

成長投資枠でも
投資できない商品がある

◎ 長期の資産形成に向かない一部商品は除外される

　成長投資枠では、これまでの一般NISAとほぼ同じ商品が購入できます。具体的には、上場株式・投資信託・ETF（上場投資信託）・REIT（上場不動産投資信託）です。

　投資信託は、株式を投資対象とする「株式投資信託」と、国債や社債などの債券を投資対象とする「公社債投資信託」に分けられますが、このうち**成長投資枠で購入できるのは「株式投資信託」のみ**です。高い利回りや安全性が人気の「外貨建てMMF」は、外国の国債や社債などで運用されており、公社債投資信託に分類されるため成長投資枠で購入することはできません。対象となる投資信託は投資信託協会のホームページで公開されていて、1400本以上（2023年8月1日時点）あり、さらに追加される予定です。

　REITについても成長投資枠で購入できますが、少ない金額で大きな取引ができる「高レバレッジ型」の商品は除外されます。

　このほかにも、一部商品が除外されます。上場株式については、上場廃止が決まっている「整理銘柄」や上場廃止の恐れがある「監理銘柄」が、投資信託とETFについては、「高レバレッジ型」「毎月分配型」「信託期間20年未満」の条件があてはまる長期の資産形成に適さない商品が除外されます。

　このように条件が定められているものの、実際に取り扱っている商品は金融機関によって異なります。購入したい商品があるかどうかは、最終的にはNISA口座を開設する金融機関で確認するようにしましょう。

◆ 電子書籍・雑誌を 読んでみよう！

技術評論社　GDP 検索

 で検索、もしくは左のQRコード・下の URL からアクセスできます。

https://gihyo.jp/dp

1 アカウントを登録後、ログインします。
【外部サービス(Google、Facebook、Yahoo!JAPAN) でもログイン可能】

2 ラインナップは入門書から専門書、 趣味書まで3,500点以上！

3 購入したい書籍を 🛒 カート に入れます。

4 お支払いは「**PayPal**」にて決済します。

5 さあ、電子書籍の 読書スタートです！

も電子版で読める！

電子版定期購読が お得に楽しめる！

くわしくは、
「Gihyo Digital Publishing」
のトップページをご覧ください。

🎁 電子書籍をプレゼントしよう！

Gihyo Digital Publishing でお買い求めいただける特定の商品と引き替えが可能な、ギフトコードをご購入いただけるようになりました。おすすめの電子書籍や電子雑誌を贈ってみませんか？

こんなシーンで…
- ●ご入学のお祝いに　●新社会人への贈り物に
- ●イベントやコンテストのプレゼントに　………

●ギフトコードとは？　Gihyo Digital Publishing で販売している商品と引き替えできるクーポンコードです。コードと商品は一対一で結びつけられています。

くわしいご利用方法は、「Gihyo Digital Publishing」をご覧ください。

電脳会議
紙面版

新規送付の
お申し込みは…

電脳会議事務局　　　　　　検　索

で検索、もしくは以下の QR コード・URL から
登録をお願いします。

https://gihyo.jp/site/inquiry/dennou

一切
無料!

「電脳会議」紙面版の送付は送料含め費用は
一切無料です。
登録時の個人情報の取扱については、株式
会社技術評論社のプライバシーポリシーに準
じます。

技術評論社のプライバシーポリシー
はこちらを検索。

https://gihyo.jp/site/policy/

技術評論社　　電脳会議事務局
〒162-0846　東京都新宿区市谷左内町21-13

成長投資枠の投資対象

預金や債券、株式には一切投資できない公社債投信は対象外。外貨建てMMFも投資できない。FX（外国為替証拠金取引）や金、プラチナ取引も対象外

成長投資枠の対象商品
◎ 上場株式等（日本株、外国株）[*] ・整理、監理銘柄に指定されている上場株式は除外
◎ 公募株式投資信託、ETF（上場投資信託） ・信託期間20年未満 ・毎月分配型　　は除外 ・高レバレッジ型
◎ REIT（上場不動産投資信託） ・高レバレッジ型は除外

[*] 証券会社によって対象の場合と対象外の場合がある

まとめ
- ☐ 成長投資枠で購入できる投資信託は「株式投資信託」のみ
- ☐ 長期運用に適さない一部商品が除外されている
- ☐ 購入したい商品があるかどうかは、証券会社や銀行で確認する

株式投資をするなら
どんな活用ができる？

◉ 投資枠の拡大で、優良株も購入しやすくなる

　これまでの一般NISAでは、投資信託に次いで、上場株式が人気の投資先でした。新NISAでも株式投資を引き続き行うなら、成長投資枠で行うことになります。現在、日本の上場株式は原則として、売買単位が100株（これを1単元と呼びます）です。年間投資枠が120万円の一般NISAでは、1単元でも枠をオーバーしてしまう銘柄が多くありました。

　成長投資枠では、年間投資枠が240万円に拡大します。たとえば、「ニトリ」「東京エレクトロン」「シマノ」といった優良株は、1単元が120万円〜240万円の価格帯にあり、これまで一般NISAでは購入できませんでしたが、成長投資枠では購入できるようになります。

　株式で人気の投資手法に、「1銘柄につき2単元以上購入する」というものがあります。株式の売り時を決めるのは難しいことですが、2単元以上保有することで、「とりあえず半分だけ売却する」という選択ができるようになります。その後の値動き次第で、残り半分も売るか、保有し続けるか、あるいは売った分を買い直すかじっくり考えられるようになります。このように、**投資行動の選択肢が増やせるというのも、投資枠が拡大した成長投資枠のメリット**です。

　一方、企業側からも株式の買いにくさを是正しようとする動きがあります。その方法が「株式分割」です。2023年6月末には「NTT（日本電信電話）」が株式を25分割し、1万円台で購入できるようになりました。株式分割をする企業が増加傾向にあり、株式投資をする人にとって追い風となっています。

● 成長投資枠で買える銘柄・買えない銘柄

■ こんな銘柄が非課税で買える！

銘柄（銘柄コード）	株価	投資金額	どんな銘柄？
ニトリ （9843）	1万7560円	175万6000円	全国トップの家具インテリア製造小売り。海外展開も
東京エレクトロン （8035）	2万910円	209万1000円	半導体製造装置で世界3位。成膜装置など前工程に強み
シマノ （7309）	2万1390円	213万9000円	変速機、ブレーキ部品などの自転車部品で世界有数

■ 実は買えない優良銘柄も……

銘柄（銘柄コード）	株価	投資金額	どんな銘柄？
ダイキン工業 （6367）	2万8415円	284万1500円	エアコン世界首位級。国内業務用では特に高いシェア
ファーストリテイリング （9883）	3万4670円	346万7000円	世界3位のSPA大手。「ユニクロ」「ジーユー」を世界展開
キーエンス （6861）	6万6630円	666万3000円	FAセンサーなど検出・計測制御機大手

※ 株価は 2023 年 7 月 28 日時点

まとめ	☐ **2024年から投資枠が倍増し、投資できる銘柄が広がる** ☐ **複数単元の購入がしやすくなる** ☐ **株式分割する企業が増え、株式投資に挑戦しやすくなっている**

株式投資をする時に
気をつけることは?

● 株式投資は中長期で値上がりを狙う

　成長投資枠での株式投資には大きく分けて2つの戦略があります。**1つ目が「積極的に値上がりを狙う方法」、2つ目が「高配当銘柄を長期保有する方法」**です。

　まず1つ目は、株価が上がりそうな銘柄を購入し利益を狙う方法です。予想通りに株価が上がったタイミングで売却することで、値上がり益を非課税で受け取ることができます。

　ここでの注意点は、1年間ではそれほど多くの銘柄には投資できないという点です。成長投資枠は年間投資枠が240万円に拡大したものの、右図の例だと、1年のうちにA株とB株を1単元・C株を2単元購入しただけでも240万円の枠を使うことになります。もちろん銘柄によって価格は違いますが、年間投資枠に収まるのは、だいたい2〜3銘柄が限度となるでしょう。

　さらに、**売却してもすぐに枠が復活するわけではないという点にも注意が必要です。枠が復活するのは売却した翌年**です。頻繁に売買を繰り返していては年間投資枠をあっという間に消費してしまうので、デイトレードのような使い方はできません。

　また、復活するのはあくまで「購入時の価格（＝簿価）」です。右図の例だと、A株を50万円で購入して60万円で売却していますが、この場合、翌年に復活するのは60万円ではなく50万円の枠ということになります。このルールは、成長投資枠だけではなく、つみたて投資枠においても同じです。成長投資枠の株式投資で値上がりを狙うのであれば、戦略を立てて有効に使うことが求められます。

● 株式を何回も売買する時は年間240万円の上限に注意

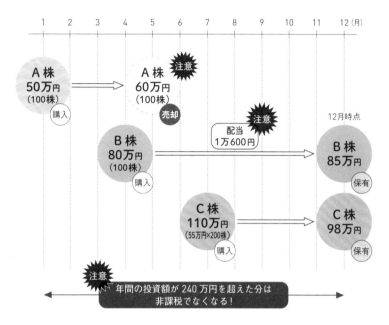

注意ポイント
☑ 投資額は1月〜12月の1年間の購入額で240万円まで。その後に株価が上がっても関係ない
☑ 1年の途中で売却してもその時点で投資枠が復活するわけはなく翌年復活する
☑ 240万円ギリギリまで投資しても、配当は非課税で受け取れる

まとめ	☐ 株式投資の値上がり益は非課税メリットが大きい
	☐ 成長投資枠で保有できるのは年間2〜3銘柄程度が限度
	☐ 枠の復活は翌年、売値ではなく簿価での復活となる

株主優待銘柄を
あえて選ばなくてもよい

高配当銘柄で非課税メリットを最大限生かす

　成長投資枠における株式投資戦略の2つ目が「高配当銘柄を長期保有する方法」です。多くの上場企業では、株主への還元のために配当金を支払っています。その中でも、**株価に対する配当金の割合（＝配当利回り）が特に高いのが高配当銘柄**です。配当は本決算と中間決算の年2回実施する企業が多く、年間の配当金の総額で配当利回りが算出されます。**NISA口座だと、配当金にも税金がかかりません**。なお、配当金は投資枠とは関係なく、配当金をもらったからといって投資枠が消費されることはありません。

　一方、株主への還元として「株主優待」を実施している銘柄もあります。株主優待は、もともと税金がかかりません。右ページの図の例だと、A株では配当金が1万5000円、B株では配当金が1万円、株主優待が5000円相当です。どちらの銘柄も株価は50万円なので、利回りとしては同じ3%ではあるものの、配当金に対する税金はA株だと約3000円、B株だと約2000円です。NISAではこの税金がかからないため、株主優待がある分、B株をNISA口座で保有するメリットは減ってしまいます。**成長投資枠がいっぱいのときは、株主優待銘柄は課税口座で保有するのがおすすめ**です。

　また、配当金を非課税で受け取るためには「株式数比例配分方式」を選ぶこともポイント。それ以外の受取方法にしてしまうと、NISA口座での投資でも課税されてしまうので注意が必要です（→ P.114参照）。

● NISAでは株主優待銘柄より高配当株がおトク

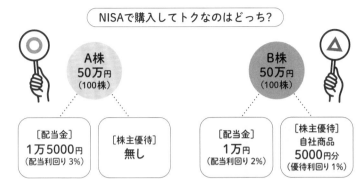

NISAで購入してトクなのはどっち？

A株
50万円
（100株）

[配当金]
1万5000円
（配当利回り3%）

[株主優待]
無し

B株
50万円
（100株）

[配当金]
1万円
（配当利回り2%）

[株主優待]
自社商品
5000円分
（優待利回り1%）

■ 配当金の受取方法は4つあるが、NISAは「株式数比例配分方式」でないといけない

配当金領収証方式
配当金領収書が自宅へ郵送されるので郵便局に持参して現金を受け取る

株式数比例配分方式
保有するすべての銘柄の配当金を証券会社の口座で受け取る

NISA
はこれ!

登録配当金受領口座方式
保有するすべての銘柄の配当金を指定した銀行口座に振り込んでもらう

個別銘柄指定方式
配当金振込指定書を保有する。銘柄ごとに提出して、銀行口座に振り込んでもらう

まとめ

□ 成長投資枠で株式投資するなら高配当銘柄がおすすめ

□ 株主優待は非課税ということを考慮し銘柄選びをする

□ 配当金の受取方法は「株式数比例分配方式」にする

米国株の方が
NISAで投資しやすい

少額投資OK、投資初心者でも挑戦しやすい米国株

　近年、人気の投資先に「米国株」があります。日本とアメリカの代表的な株価指数を比較してみると、過去30年で「日経平均株価」は1.5倍程度しか成長していないのに対し、「NYダウ」はおよそ10倍に伸長しています。米国株はよくわからないから不安、と思う人が多いかもしれませんが、世界最大の経済成長の波に乗り、投資初心者こそ挑戦しやすい投資先なのです。**新NISAの成長投資枠は、米国株も対象**です。新しい投資先に米国株を加えるのも一考です。

　米国株がおすすめの理由は2つあります。1つ目が、**「高配当である」**ためです。米国では会社は投資家のものという意識が強く、配当による株主還元を重視する企業が多いです。日本だと年1〜2回の配当が主流ですが、アメリカでは年4回がスタンダードです。配当金額を増やしている銘柄もあり、たとえば、コカ・コーラ社は60年もの間、増配を続けています。このような高配当銘柄・増配銘柄を長期保有することで、安定した収益を期待できます。

　米国株がおすすめの理由の2つ目は、**「少額購入できる」**ことです。先述の通り、日本株の購入単位は100株で、最低でも数十万円の資金が必要なことが多い一方、米国株はほとんどが1株から購入可能です。時価総額世界1位のアップル株も3万円以下で購入でき、最低投資額が低く挑戦しやすいという特徴があります。

　注意点としては、証券会社によっては米国株式がNISA対象外だったり、外国株専用の口座開設が別途必要だったりする場合があること、為替リスクがあることなどが挙げられます。

● 日本株より実は身近な米国株

■ 日本株と米国株の制度や決算の違い

	日本株	米国株
株式コード	4ケタの数字	アルファベット （ティッカーという）
値幅制限	あり	なし
単元株	100株	1株
売買可能時間 （日本時間）	9〜15時[*]	23時半〜6時
決算期	3月期 （決算が多い）	12月期 （決算が多い）
配当回数	年に1〜2回	年に4回
来期業績予想	発表する	発表が少ない

年4回
配当が出る

[*] 朝8：20〜、夜16：30〜23：59はPTS取引が可能

■ 日本株より米国株は買いやすい

	日本株	米国株
銘柄	トヨタ自動車 （7203）	アップル （APPL）
単元株	100株	1株
最低購入価格	24万3150円	184.12ドル ＝約2万5700円

手軽に
購入しやすい！

※ 2023年8月29日時点

まとめ
- ☐ 一部証券会社では、米国株をNISA口座で購入できる
- ☐ 株主還元に積極的で、高配当銘柄・増配銘柄が多い
- ☐ 1株から購入でき、少額投資ができる

日本株・米国株以外にも
狙い目はある

●つみたて投資枠にはない、投資先のバリエーションが楽しい

　成長投資枠の対象商品には、投資信託や上場株式のほか、REIT（上場不動産投資信託）や ETF（上場投資信託）があります。

　REIT とは、不動産に投資する投資信託のことです。たくさんの投資家から集めたお金をオフィスビルや商業施設、マンションなどに投資するので、REIT を購入することで、個人では到底購入できないような大型の不動産オーナーに間接的になることができるのです。REIT のメリットは、高い利回りにあります。賃料収入や売買益によって安定的な分配金を出している REIT が多く、分配金利回りが5％を超える商品もあります。このような REIT を成長投資枠で保有すれば、安定的な収益を得られる可能性があります。

　ETF とは、特定の指数、たとえば日経平均株価や東証株価指数（TOPIX）などの動きに連動する運用成果を目指している投資信託の一種です。インデックス型の投資信託と同じもののように感じられるかもしれませんが、金融商品取引所に上場していて、時価で取引ができるという点で異なります。

　ETF の一部商品は、つみたて投資枠でも対象となっています。しかし、連動する指数は「日経平均株価」や「S&P500」など、いわゆるメジャーな指数に連動する商品ばかりです。その点、成長投資枠では、25 年以上連続して増配を実施している米国銘柄の指数「S&P500 配当貴族」や、半導体といった特定業種の株価、金などの貴金属価格に連動するものなど、多彩な商品が揃います。ユニークな ETF に挑戦できるのも成長投資枠を利用する醍醐味です。

● REITやETFも投資の選択肢

■ 高配当REITランキング

	証券コード	投資法人名	運用資産	株価沸落率	分配金利回り	株価
1	2989	東海道リート投資法人	総合型	-3.29%	5.52%	12万500円
2	3470	マリモ地方創生リート投資法人	総合型	-3.80%	5.45%	12万9000円
3	3492	タカラレーベン不動産投資法人	総合型	-14.59%	5.34%	9万7800円
4	3468	スターアジア不動産投資法人	総合型	-0.86%	5.33%	5万7500円
5	2971	エスコンジャパンリート投資法人	複合型	-0.93%	5.24%	11万7600円
6	3451	トーセイ・リート投資法人	総合型	0.36%	5.21%	13万7500円
7	3488	ザイマックス・リート投資法人	総合型	-8.28%	5.18%	11万7400円
8	8958	グローバル・ワン不動産投資法人	事務所主体型	9.44%	5.02%	11万9400円
9	8963	インヴィンシブル投資法人	ホテル主体型	-43.67%	5.02%	5万7900円

※ 2023 年 7 月 28 日時点

■ ETFなら少しユニークな投資対象もインデックスで投資できる

連動対象指標	コード	名称	管理会社(検索コード)	信託報酬	株価
JPX 日経インデックス 400	1591	NEXT FUNDS JPX 日経インデックス 400 連動型上場投信	野村アセット マネジメント (13064)	0.10%	2万900円
S&P 500 配当貴族指数 （円換算）	2236	グローバル X S&P500 配当貴族 ETF	Global X Japan (25644)	0.275% 以内	1093円
フィラデルフィア 半導体株指数 （円換算）	2243	グローバル X 半導体 ETF	Global X Japan (25644)	0.375% 以内	1269円
金	1540	純金上場信託 （現物国内保管型）	三菱UFJ信託銀行 (15404)	0.40%	8298円

※ 2023 年 7 月 28 日時点

まとめ	☐ REITを購入することで大型不動産のオーナーになれる ☐ ETF は上場していて時価で取引できる ☐ つみたて投資枠では対象外の REIT・ETF が購入できる

投資信託は資産運用のプロが投資する仕組み

　株式や債券に投資をするとなると、最低でも数十万～数百万円単位の資金が必要になります。まとまった余裕資金があればいいですが、投資を始めたばかりで、投資に大きな金額を投じるのはハードルが高いものです。

　その点、少額から投資できるのが「投資信託（投信・ファンド）」です。投信とは、多くの投資家から資金を集め、株式や債券などに投資・運用し、その運用成果がそれぞれの投資額に応じて投資家に分配される仕組みの金融商品。資金をひとまとめにして運用するため、一人あたりの資金は少なくても効率的に運用できます。

　投資信託は、多くの証券会社で100円～1000円程度の少額から購入することが可能です。また複数の銘柄から組み合わされているため、分散投資の効果も得ることができます。このように、少額から始めやすく、簡単に分散投資ができるのが投資信託のメリットです。

★ 投資信託は資産運用のプロが投資をしてくれる ★

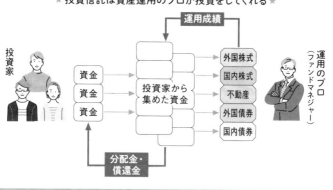

Part

金融機関選びと
変更時の手続きは？

金融機関はどうする？
口座開設の方法は3パターンあり

◎ 金融機関を変更する場合は変更の届け出を提出する

　新NISAの口座開設の方法は、まだNISAを利用したことがなく、初めて新NISA用の口座を開設する、すでに現行NISA口座を開設していて、同じ金融機関で新NISAを利用する、現行NISAとは別の金融機関に変える、のどれに当てはまるかによって**主に3パターン**に分かれます。

　1つ目は、まだNISA口座を持っていないパターン。その場合は金融機関を1つ決め、新規で新NISA口座の開設を申し込みます（→ P.110参照）。

　2つ目は、すでにNISA口座を持っており、同じ金融機関で新NISAを利用したいというパターン。2023年末までにNISA口座を開設していれば、その金融機関で自動的に新NISA口座が開設されるため、このパターンに該当する場合、とくに手続きは必要ありません（→ P.42参照）。

　3つ目はすでに持っているNISA口座とは別の金融機関で新NISAを始めたいというパターン。「つみたて投資枠の取り扱い投資信託が少ない」「積立頻度の選択肢が少ない」といった理由から、現在口座を開設しているところとは別の金融機関で新NISAを始めたいという人も多いでしょう。

　その場合、**まずは現行NISAを開設している金融機関に変更したい旨を伝え、変更の届出を送付してもらいます**。そのうえで、新しく口座開設する金融機関に元の金融機関の書類と申込書を提出します。詳しくはP.116 ～ 119で解説します。

● 新NISA口座開設の選択肢

カテゴリ外

今、NISAを利用している人は何が不満？（図内）

【パターン別に口座開設方法が違う】

パターン 1

- □ 現行NISA口座を持っていない
- □ 新規で新NISAを始めたい

⇩

選んだ金融機関に新NISA口座の開設を申し込む

パターン 2

- □ 現行NISA口座を持っている
- □ 現行NISA口座と同じ金融機関で新NISAを始めたい

⇩

手続きは不要。自動で新NISA口座が開設される

パターン 3

- □ 現行NISA口座とは別の金融機関で新NISAを始めたい

⇩

現在の金融機関で金融機関変更の手続きをする

⇩

新NISAを始める金融機関に新NISA口座開設を申し込む

【今、NISAを利用している人は何が不満？】

銀行で取引してるけれど成長投資枠で株式投資をしたい

ポイントが貯まる金融機関を利用したい

積立頻度を「毎月」しか選べない

つみたて投資枠の取扱い投資信託が少ない

まとめ

- □ 新NISA口座開設の方法は3パターンある
- □ 現行NISAと同じ金融機関でよければ手続き不要

新NISA申し込み時の手続きは?
書類を送るだけで簡単開設

○ 開設先によって手続きが異なる

　新NISA口座を新規で開設する場合の手続きについては、2023年
10月以降に受付が始まる予定です。手続きの流れは現行NISAと同
じだと考えられるので、その前提で流れをご紹介します。

　まずは金融機関から申込書類を取り寄せます。証券会社に申し込
む場合で総合口座を持っていなければ、新NISA口座と一緒に総合
口座の申し込みも必要なので、いずれの書類も準備します。

　**ネット証券の場合、新NISA口座と総合口座開設とをWEB・ス
マートフォン(スマホ)から同時に申し込むことが可能です。**本人
確認書類に関しても、撮影した書類やパソコンやスマホから画像を
アップロードすればよいので簡単です。

　銀行で口座開設をする場合、**普段から利用している銀行であれば、
新NISA口座とともに投資信託口座を申し込みます。**インターネッ
トバンキングなどの登録をしておけば、WEB上での申し込みも可
能なので便利です。

　なお、証券会社でも銀行でも、本人確認書類には運転免許証など
のほか、マイナンバーが必要になるので用意しておきましょう。

　申込書類を提出すると、金融機関が税務署に新NISA口座開設の
申請を行い、非課税適用確認書の交付を受けます。**金融機関と税務
署の審査・承認を経て、金融機関から新NISA口座開設のお知らせ
が届きます。**後はサイトにログインすれば、取引がスタートできま
す。パスワード、運用する商品や投資する金額、積み立ての頻度な
どを設定しましょう。

● 新規で新NISA口座を開設する流れ

① 新NISA口座開設の申し込み

口座開設を希望する金融機関から
書類を取り寄せ、必要事項を記入
し、提出

> **WEBの場合**
>
> 口座開設ページ
> にアクセスし、
> 必要事項を入
> 力。本人確認書
> 類、マイナンバー
> の写しをアップ
> ロードまたは郵
> 送で提出

⬇

② 税務署への申請・確認を金融機関が行う

金融機関が税務署の新NISA口
座開設申請を行い、税務署から非
課税適用確認書の交付を受ける

⬇

③ 新NISA口座開設完了の通知

金融機関と税務署の審査後、金
融機関から新NISA口座開設の案
内が届く

⬇

④ 利用開始

ログインし、パスワードを設定、新
NISAでの取引が可能に！

> 上記は現行NISAの流れを基にしています。
> 新NISA口座の開設については金融機関に
> 最新情報を確認しましょう

まとめ

☐ 新NISAの口座開設手続きは2023年10月以降から
☐ 開設先がネット証券か銀行かで手続きが異なる

金融機関選びは慎重に!
商品ラインナップなどを確認

○ **今の主流はネット証券! サポート重視なら店舗型も**

新NISAは、非課税メリットを受けるという点においては、どこの金融機関で始めても同じです。また手数料も一律でかからないので、その点での比較も不要です。ただし、**商品ラインナップ、最低積立額、積立方法、サポートは金融機関によって差があります**。特に、商品ラインナップは事前に必ずチェックしたいところ。口座を開設した後に「気になっていた商品を取り扱っていなかった……」となっても遅いからです。

金融機関は1年に1度変えられますが、手続きをする手間を考えると、**最初から納得のいく金融機関選びをして長く続けるのがおすすめ**です。

金融機関の選択肢は、主に「ネット証券」か「銀行」ですが、人気が高いのはSBI証券や楽天証券といったネット証券です。つみたて投資枠の商品ラインナップは金融機関で大きな違いがあり、ネット証券の取り扱い数が圧倒的に多くなっています。また、最低積立額もネット証券は100円からがほとんど。積立の自由度（どれぐらいの頻度で積み立てればよいか）も、銀行や店舗型の証券会社に比べてネット証券のほうが高くなっています。

ただし、ネット証券の相談窓口はコールセンターやチャットになるので、対面でじっくりサポートを受けたいのであれば、身近な銀行を選択するのもよいでしょう。また、NISA口座を開設するとポイントを受けられるなど、お得なキャンペーンを実施しているケースもあるので、チェックしてみましょう。

● ネット証券と銀行、どっちが私向き？

ネット証券	投資信託などのラインナップが多い方がよい
	スマホやパソコンのツールを重視したい
	電話やオンラインのサポートで十分

銀行	いつも使っている銀行で管理したい
	選べる商品が絞られているほうがよい
	対面でサポートを受けたい

※ このほかに店舗型の
証券会社もある

● 人気のネット証券はここ！

証券会社	取扱商品数[*]	最低積立額	積立の自由度
SBI証券	205本	100円	毎月・毎週・毎日
楽天証券	194本	100円	毎月・毎週・毎日
マネックス証券	152本	100円	毎月・毎日 （ただし日額指定はできず 月額指定のみ）

[*] 2023年8月時点の「つみたてNISA」の本数

まとめ	☐ 手数料の点ではどの金融機関を選んでも同じ ☐ ラインナップの多さならネット証券が有利

NISAの配当金・分配金の
受取方法に注意しよう

● 非課税適用は「株式数比例配分方式」のみ

新NISAで成長投資枠を利用し、株式やETF、REITで投資をする場合、注意すべきことがあります。株式の配当金やETF・REITの分配金の受け取り方には、「配当金領収証方式」、「株式数比例配分方式」「登録配当金受領口座方式」「個別銘柄指定方式」という4つの種類があります。**配当金や分配金を非課税で受け取るには、そのうち、株式数比例配分方式を選択する**必要があります。株式数比例配分方式は、配当金や分配金を証券口座で受け取る方法です。

登録配当金受領口座方式は、保有しているすべての銘柄の配当金・分配金を、指定した1つの銀行口座で受け取る方法。複数の証券会社に口座がある場合でも、すべてまとめて受け取れます。

配当金領収証方式は、郵送される「配当金領収証」を郵便局などの金融機関の窓口に持参し、配当金領収証と引き換えに配当金・分配金を受け取る方法です。この方式は従来から行われているもので、基本的に特に手続きをすることなく利用できます。

個別銘柄指定方式は、銘柄ごとに振込口座を指定し、その口座で受け取る方式です。この方式を利用する場合、振込口座を指定していない銘柄に関しては配当金領収証方式が適用されます

株式数比例配分方式以外の3つの受取方式を選択すると、せっかくNISA口座で商品を保有していても、**一般口座と同様に配当金や分配金には約20%の課税がされてしまい、NISAの恩恵を受けることができないため、注意**しましょう。

● 配当金、分配金の受取方法は4つある

非課税適用は「株式数比例配分方式」だけなので注意

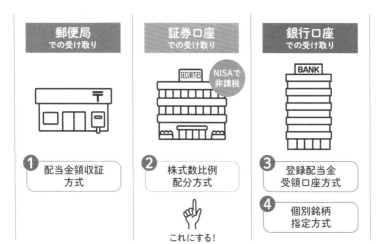

郵便局 での受け取り	証券口座 での受け取り	銀行口座 での受け取り
	NISAで 非課税	
① 配当金領収証 方式	② 株式数比例 配分方式	③ 登録配当金 受領口座方式
	これにする！	④ 個別銘柄 指定方式

まとめ	☐ 配当金や分配金の受け取り方には4つの方式がある ☐ 非課税が適用されるのは「株式数比例配分方式」のみ

変更依頼のタイミングに注意！
金融機関変更の3つのルール

◎ 変更手続きは変更する年の9月末までに済ませるのが基本

P.108で解説したように、2024年からの新NISAのスタートに合わせて金融機関を変更することができます。ただし、変更するにあたっては以下の**3つのルール**があることに注意する必要があります。

① 大前提として、NISA口座は年単位で金融機関の変更が可能です。② 金融機関の変更は、変更する年の前年の10月1日〜変更する年の9月30日までに手続きを完了する必要があります。③ 変更する年の1月1日以降、変更前の金融機関のNISA口座で商品を購入している場合、その年の間は購入したその口座を使わなければならなくなり、金融機関の変更は翌年からになります。

これらの基本ルールが、2023年だけイレギュラーになります。新NISA口座のスタートに合わせて金融機関を変更するケースを具体的に**2パターン**に分けて見ていきましょう。

まず、2023年の1年間、現行NISAで商品を購入していないケース。この場合、すぐに変更手続きが可能です。手続きが完了すると、2024年1月から新しい金融機関で新NISAを開始できる見込みです。現行NISAを利用していた金融機関に発行してもらう書類もあるため、早めに手続きを済ませましょう。

次に、2023年に現行NISAで1度でも購入しているケース。この場合、金融機関の変更手続きが2023年10月1日からできるようになります。手続き次第で変更先でのNISA口座は2024年1月1日から利用可能になります。金融機関のホームページなどを確認しましょう。

● 金融機関変更のタイミングのイメージ（2023年）

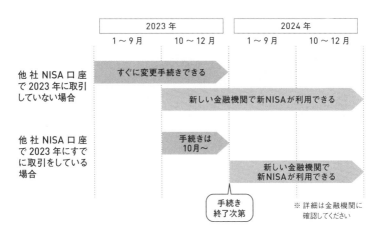

	2023年		2024年	
	1～9月	10～12月	1～9月	10～12月

他社NISA口座で2023年に取引していない場合

すぐに変更手続きできる

新しい金融機関で新NISAが利用できる

他社NISA口座で2023年にすでに取引をしている場合

手続きは10月～

新しい金融機関で新NISAが利用できる

手続き終了次第

※ 詳細は金融機関に確認してください

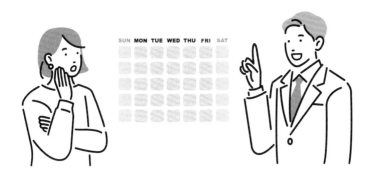

SUN MON TUE WED THU FRI SAT

まとめ	□ 金融機関を変更できるタイミングには決まりがある
	□ 新NISAは2023年の購入の有無で対応が変わる

金融機関の変更手続きの
流れと手順を把握する

◉ 必要書類は現行口座の取り扱いで異なるので注意

　現行NISAで利用している金融機関とは別の金融機関で新NISAを始めるためには、**変更の手続きを行う必要があります。**ここでは手続きの流れを確認しておきましょう。

　金融機関を変更するには、まず現行NISA口座を開設した金融機関に連絡し、新NISA口座を別の金融機関で開設したい旨を伝え、「**金融商品取引業者等変更届出書**」を提出します。連絡方法は、ウェブで申し込む、コールセンターに電話する、対面で申し込むなど、金融機関によっても選択肢が異なります。

　なお、すでに持っている現行NISA口座を継続するか、廃止するかによって、変更前の金融機関から送付してもらう書類が異なる点は注意が必要です。現行NISA口座を残したまま他の金融機関に変更する場合は、「**勘定廃止通知書**」を入手します。対して、現行NISA口座を廃止する場合は「**非課税口座廃止通知書**」を入手します。

　その後、新たにNISA口座を開設したい金融機関に、NISA口座の申込書（非課税口座開設届出書）と共に、受け取った「勘定廃止通知書」もしくは「非課税口座廃止通知書」を提出します。その際、本人確認書類とマイナンバーが確認できる書類が必要になるので、きちんと準備しておきましょう。

　送付した必要書類は、新しく口座を開設する金融機関と税務署によって審査されます。審査が済んだら、新NISAの口座が開設されます。NISA口座の開設完了の連絡は、郵送やメールなどで受け取ることが可能です。

● 金融機関変更の手順

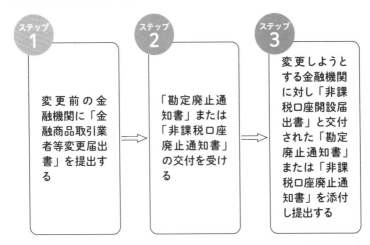

ステップ **1**

変更前の金融機関に「金融商品取引業者等変更届出書」を提出する

ステップ **2**

「勘定廃止通知書」または「非課税口座廃止通知書」の交付を受ける

ステップ **3**

変更しようとする金融機関に対し「非課税口座開設届出書」と交付された「勘定廃止通知書」または「非課税口座廃止通知書」を添付し提出する

※ 1 ～ 9 月にその年の NISA 投資可能枠を使用している場合
10 月以降の申し込みとなる

● 書類提出の流れのイメージ

現在の
金融機関

BANK

❶
金融商品
取引業者等
変更届出書

❷
勘定廃止通知書
または
非課税口座
廃止通知書

❸
勘定廃止通知書
または
非課税口座
廃止通知書

❹
非課税口座
開設届出書

変更したい
金融機関

SECURITIES

まとめ	☐ 変更前と変更後どちらの金融機関でも手続きが必要
	☐ 現行NISA口座を廃止するかどうかで必要書類が異なる

現行NISA口座の継続・廃止
2つの選択肢を検討しよう

● 別の金融機関で新NISAを始める場合2パターンに分かれる

　現行 NISA 口座を開設している金融機関とは別の金融機関で新
NISA の利用を始める場合、**現行 NISA 口座はそのまま残し、翌年
から別の金融機関に新 NISA 口座を開設するパターン**と、**現行
NISA 口座を廃止して、別の金融機関に新 NISA 口座を開設するパ
ターン**の 2 つの選択肢があります。たとえば、すでに A 証券で現行
NISA 口座を開設しており、2024 年からは B 証券で新 NISA を始め
るケースを考えてみましょう。

　1 つ目のパターンの場合、A 証券の NISA 口座は残したまま、
2024 年からは B 証券の NISA 口座の非課税投資枠を利用します。
この場合、2 つの金融機関に NISA 口座を持つこととなります。

　こちらのパターンでは、A 証券で持っている商品をすぐに売却す
る必要はなく、非課税期間内（一般 NISA は最長 5 年間、つみたて
NISA は最長 20 年間）はこの口座で運用が可能です。その間に商品
を売却した場合の利益はもちろん非課税です。

　2 つ目のパターンでは、A 証券の NISA 口座を廃止し、2024 年以降、
NISA 口座は B 証券の 1 つのみとなります。A 証券で運用していた
商品は、売却して現金化するか、課税口座に移管してそのまま継続
保有するかのどちらかを選ぶ必要があります。

　Sec.047 で解説したとおり、どちらを選ぶかによって金融機関を
変更するときの手続き時に提出する書類が変わるので、あらかじめ
どうするか決めておきましょう。

● 変更前のNISA口座は残しても、廃止してもよい

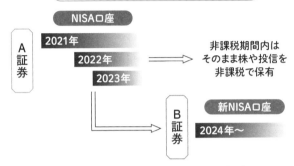

証券会社を変更する方法は 2 種類

① A証券のNISA口座を残す

NISA口座

A証券

2021年
2022年
2023年

⇒ 非課税期間内は
そのまま株や投信を
非課税で保有

B証券

新NISA口座
2024年〜

▸ この場合、2 つの金融機関にNISA口座ができる

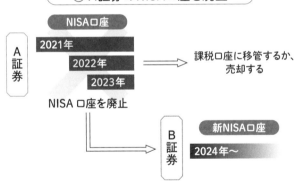

② A証券のNISA口座を廃止

NISA口座

A証券

2021年
2022年
2023年

NISA 口座を廃止

⇒ 課税口座に移管するか、
売却する

B証券

新NISA口座
2024年〜

▸ この場合、2024年以降 NISA 口座は1つになる（B証券のみ）

まとめ
　　□ 金融機関を変更する場合、現行NISA口座を残すか廃止するかを選択
　　□ 非課税期間内は現行NISA口座もそのまま非課税で保有可能

投資信託の手数料には注意が必要

投資信託では、購入時、保有時、売却時の3つのタイミングそれぞれで手数料がかかります。

購入時に銀行や証券会社などの販売会社に支払う手数料が「購入時手数料」です。通常、申込金の数％程度に設定されており、その利率は販売会社によって異なります。近年では、ノーロードと呼ばれる購入時手数料がかからない商品も増えているため、積み立てるときはノーロード商品を選ぶとよいでしょう。

投資信託の保有時に、運用・管理費として差し引かれる手数料が「信託報酬」です。信託報酬は年率で表され、たとえば「信託報酬0.1％」というケースでは、保有額に対して年率0.1％が運用会社に支払われます。

そして、売却時に支払う手数料が「信託財産留保額」です。こちらも投資信託によって金額は異なりますが、最近では信託財産留保額がかからない投資信託も増えてきています。

★ 投資信託にかかる3つの手数料 ★

買うとき ⟹	保有中 ⟹	売るとき
購入時手数料	**信託報酬**	**信託財産留保額**
購入時に差し引かれる手数料。手数料がかからない（ノーロード）投資信託もある。同じ投資信託でも販売会社によって利率が異なることもある	投資信託を運用・管理してもらうための手数料として投資信託を保有している限り差し引かれる。インデックス型の投資信託は、アクティブ型より信託報酬が低い傾向にある	投資信託を解約するときに、投資家が支払う費用のこと。解約代金から差し引かれる。信託財産留保額は、投資信託の種類によって異なり、差し引かれない投資信託もある

Part

8

iDeCoとNISA
どちらを選ぶべき?

iDeCoとはどんな制度？

◉ 国がつくった「じぶん年金制度」

iDeCoとは、個人型確定拠出年金のことで、簡単にいうと国がつくった**「じぶん年金制度」**です。この制度を活用することで、老後に向けた年金を自分で積み立てることができます。

仕組みとしては、大きく**拠出・運用・受取**の3つに分かれます。まず自分で掛金額を設定して拠出（積立）します。その掛金を、自分で選んだ金融商品で運用し、老後資金を準備。老後になったら、積み立てたお金を年金として受け取ります。受け取れる額は積み立てた掛金の合計と運用成績によって変わってきます。

20～65歳未満までの国民年金・厚生年金加入者であれば、誰でも加入ができるため、現役世代のほとんどの人が利用することができます。2022年に加入対象者の年齢上限が60歳から65歳に引き上げられましたが、2025年からはさらに70歳未満へと引き上げられる予定です。

iDeCoは**老後資金を準備するための制度**です。そのため、原則として積み立てた資金の引き出しは60歳からと決められています。なお、60歳までの積立期間が10年未満の場合は、60歳では受け取れないため、**積立期間が短い50代以降で加入する場合は注意が必要**です。

iDeCoの最大のメリットは、拠出時、運用時、受取時の3つのタイミングで節税効果が得られるということ。拠出時には掛金全額が所得控除の対象に。運用益も非課税で、受取時も一定額まで非課税になります（→ P.126参照）。

● iDeCo（個人型確定拠出年金）の仕組み

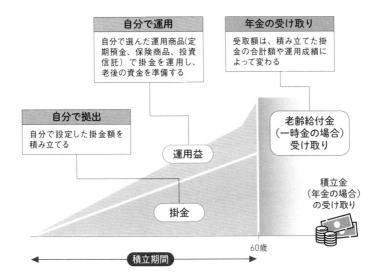

自分で運用
自分で選んだ運用商品（定期預金、保険商品、投資信託）で掛金を運用し、老後の資金を準備する

年金の受け取り
受取額は、積み立てた掛金の合計額や運用成績によって変わる

自分で拠出
自分で設定した掛金額を積み立てる

運用益

老齢給付金
（一時金の場合）
受け取り

掛金

積立金
（年金の場合）
の受け取り

60歳

積立期間

● IDeCoの主な特徴

対象になる人は？	20歳以上65歳未満
最長いつまで投資できる？	65歳になるまで （受給開始年齢の上限は75歳）
年間の投資可能金額は？	条件に応じて14.4～81.6万円 （職業、加入している年金により異なる）
購入できる主な商品は？	投資信託、定期預金等
払い出しはできる？	原則60歳まではできない

まとめ	☐ 拠出・運用・受取の3つの仕組み ☐ 20歳以上の国民年金・厚生年金加入者が対象 ☐ 引き出しは60歳以降でないとできない

iDeCoの最大のメリットは
手厚い税制優遇

◉ 毎年、掛金全額が所得控除の対象となる

iDeCoの最大のメリットは**手厚い税制優遇を受けられる**ということ。節税効果は、「拠出時」「運用時」「受取時」という3つの段階で得られます。

まず拠出時には、掛金の全額が**「小規模企業共済等掛金控除」**という所得控除の対象となるため、その年の所得税と翌年の住民税の負担が軽減されます。働き方や収入によって異なりますが、年間数万円の節税になるなど、その効果は絶大です。所得と掛金額に応じた金額が戻ってきますが、**会社員は年末調整で、自営業者などは確定申告での申請が必須**です。

運用時には、**運用益の全額が非課税**になります。一般的に、投資信託などの金融商品で運用する場合、運用で得た利益には、20.315%の税金が課されます。しかしiDeCoでは運用益に一切税金がかかりません。つまり、出た利益をすべて自分の老後資金にすることができるのです。

さらに、**受取時も一定額まで非課税**となります。一括で受け取った場合は「退職所得控除」が適用され、たとえば30年勤務なら、退職金と合算して1500万円までは税金がかかりません。年金形式（分割）で受け取ると「公的年金等控除」が適用され、65歳以上なら公的年金と合算して年110万円までは非課税となります。

とくに一時金での受け取りの際に適用される退職所得控除は非常に節税効果が高く、税金をまったく支払わずに済むといったケースも少なくありません。

● iDeCoの3つの節税効果

掛金が
すべて所得控除に
（所得税・住民税の
控除対象に）

運用益も分配金も
税金は0円

受け取るときも
「退職所得控除」や
「公的年金等控除」の
対象に

● 課税所得が同じ会社員と自営業者の所得税・住民税負担軽減額の比較

	会社員のAさん	自営業のBさん
支払った掛金 (年間の支払い額)	月：2万3000円 (27万6000円)	月：6万8000円 (81万6000円)
1年間の 税負担軽減額	5万5200円	16万3200円
10年間の 税負担軽減額	55万2000円	163万2000円
20年間の 税負担軽減額	110万4000円	326万4000円

※ 課税所得300万円、所得税率10%、住民税率10%として算出

まとめ	☐ iDeCoの税制優遇は拠出時、運用時、受取時 ☐ もっとも有利なのは掛金の全額所得控除 ☐ 運用益と配当が非課税。受取時も退職所得控除等が利用可能

NISAの拡充で
iDeCoは必要なくなった？

老後の資金形成はNISAとiDeCoの両輪で

　以前話題になった「**老後2000万円問題**」。これは、高齢者夫婦無職世帯の平均収入から平均支出を引くと毎月5.5万円不足し、それが老後30年間分と計算すると、約2000万円足りなくなるというものです。これはあくまで平均値のため、誰にでも当てはまるというわけではありませんが、ゆとりのある老後生活のためにはしっかりとお金を準備しておく必要があるのは確かです。

　右ページの図にあるように、老後を支えるお金は主に3つ。まず**国の制度である国民年金や厚生年金の受給**。そこに会社の制度である企業年金が上乗せされる場合もあります。しかし、それだけでは足りない人がほとんどです。その不足分を補う目的で加入するとよいのが、iDeCoやNISAといった自分で準備する私的年金です。

　iDeCoで選べる商品には、「**元本確保型**」と「**元本変動型**」の2種類があります。元本確保型は、あらかじめ決められた金利で運用されるタイプで、「定期預金」や「保険」がこれに相当します。大きなリターンは期待できませんが、元本保証にこだわりたいならこちらを選択することになります。対して元本変動型は、運用状況によって資産が変動するタイプで、「投資信託」がこれにあたります。運用成果によっては大きなリターンが得られる可能性があります。

　NISAでも非課税での運用はできますが、iDeCoのように老後資金専用というわけではなく、**税制優遇の点ではiDeCoの方が優秀**です。そのため、目的に合わせてNISAとiDeCoを使い分けるのが、おすすめです。

●「老後を支えるお金」は主に3つ

③ 私的年金

＋

② 企業年金

① 公的年金

自分で準備

iDeCo／新NISA
国民年金基金／小規模企業共済／民間生
命保険会社の個人年金保険／貯蓄など

会社から

確定給付企業年金（DB）／企業型確定拠
出年金（企業型DC）／退職一時金など

国から

厚生年金（老齢厚生年金）／国民年金（老
齢基礎年金）

● iDeCoなら元本確保型商品で定期預金を選べる

■ 元本確保型と元本変動型で選べる商品

元本確保型	元本変動型
定期預金　　保険	投資信託　　► 国内株式型 ► 外国株式型 ► 国内債券型 間接的に　► 外国債券型 株式、債券に投資　► バランス型

iDeCoで投資できる元本確保型の商品は定期預金と保険の2種類。元本変動型の商品は投資信託のみ。投資信託には、1つの株式、債券にのみ投資するタイプと、対象を1つに絞らず、複数の株式、債券を組み合わせて投資を行う「バランス型」がある。

■ iDeCoでは対象外の金融商品

株式　　　国内債券（国債・社債等）　　　外国債券（国債・社債等）　　　ETF

まとめ	☐ iDeCoは老後の生活費の不足分を補う制度
	☐ 利用できる商品は元本確保型と元本変動型
	☐ 定期預金や保険は大きなリターンは期待できないが元本が保証される

投資が初めての若者は
新NISAから始めよう

● NISAはいつでも解約できる点が若年層には魅力

iDeCo の最大の魅力は**節税効果の高さ**にあります。右ページの図にあるとおり、新 NISA の税制優遇は運用時に限定されているのに対して、iDeCo ではさらに、拠出時と受取時も含めた3つのタイミングで手厚い税制優遇が受けられます。そのため、税制メリットの面で見ると、新 NISA よりも iDeCo の方がお得だといえます。

ただし、iDeCo はあくまで老後資金を準備するための制度であり、**基本的に 60 歳以降にならないと受け取りができません**。そのため、もっと早く訪れるライフイベントに備えるには、新 NISA の方が向いています。

もちろん、老後のお金を貯めるには、なるべく早く iDeCo を始めた方が有利ですが、まだ投資に回すお金にそれほど余裕がないという人は、急いでスタートする必要はありません。毎月の掛金で生活が圧迫されてしまっては本末転倒なので、iDeCo で無理して老後資金を貯める前に、新 NISA で住宅資金や子どもの教育資金など、10 ～ 20 年以内にかかる出費に備えた方が賢明です。

また、新 NISA は口座開設の手間が少なく、金融機関に支払う手数料の負担もありません。さらに、いつでも売却して現金化できるという面でも、60 歳まで引き出しができない iDeCo より気軽に利用することができます。そのため、とくに **20 ～ 30 代などの若い世代で投資をしたことがない人は、まず新 NISA から始めるのがよい**でしょう。手元資金に余裕があるという人は、もちろん iDeCo の積立を始めても問題ありません。

● 新NISAとiDeCoの比較

		新NISA		iDeCo
口座開設	◎	・スマホで10分　開設期間1週間程度[＊]	△	・スマホと郵送の組み合わせ　開設までの期間は2カ月程度
利用商品の選択		・つみたて投資枠は厳選された200程度の商品から選べばよい	○	・投資商品が嫌なら定期預金もチョイス可能　・投資信託は機関ごとに厳選
税制優遇	○	・運用益と分配金が非課税	◎	・運用益・分配金が非課税　・毎年の掛金が全額所得控除の対象　・受取時も退職所得控除・公的年金等控除の対象
手数料	◎	・金融機関の手数料はゼロ	△	・加入時：2829円　・運用時：収納手数料105円／回　　　　　　事務委託手数料66円／月　・受取時：1048円／回
解約	◎	・いつでも可能	△	・60歳までは引き出せない

[＊] 現行のつみたてNISAの場合

まとめ	☐ 税制メリットはiDeCoが有利だが途中引き出しできない
	☐ ライフイベントに備えるなら新NISAに軍配
	☐ 若い人はまず新NISAを利用するのがおすすめ

iDeCoのスタートは
40代からでも遅くはない

Sec.052で解説したように、20〜30代のうちは、いつでもお金が引き出せる新NISAを優先して、さまざまなライフイベントに備えるのが基本です。とくに厚生年金が受け取れる会社員の場合は年金がそれなりに手厚いため、慌ててiDeCoを始めなくても大丈夫。**40代から始めても、20年などの運用期間をとれるため、決して遅くはありません。**

たとえば、会社員が新NISAとiDeCoを併用して積み立てていく場合のプランを考えてみましょう。まず、働き始めたら、できるだけ早く新NISAを始めます。新NISAでは、お金が必要になったタイミングで商品を売却すると、翌年はその売却分を含めた非課税投資枠を使って投資することができます。この仕組みを活かして、50歳くらいまでは、適宜お金を引き出してはまた積立をするという方法で活用していきます。それ以降は、退職して収入が減少する60歳以降の生活資金に向けて積み立てていきましょう。

一方、iDeCoは40歳前後からスタート。最初は月の掛金を下限の5000円などにして、徐々に積立額を上げていくのがよいでしょう。新NISAで60歳以降の生活資金を十分貯められているという人は、iDeCoは75歳以降の介護資金などとして考えるのもアリです。

ただし、iDeCoを始めるべきタイミングは公的年金がどのくらい受け取れるかによっても変わってきます。**国民年金しか加入していない自営業者やフリーランスの場合は、会社員よりも早めにiDeCoを始めることをおすすめします。**

● 新NISAとiDeCoの積立プランは？（会社員の場合）

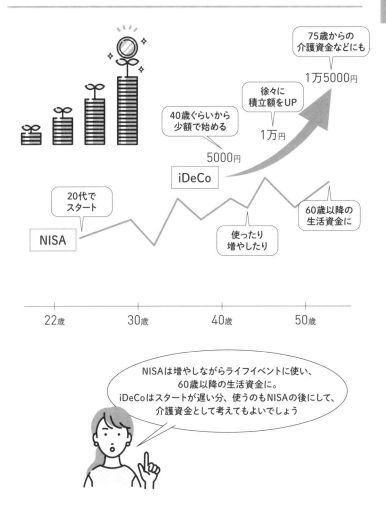

75歳からの
介護資金などにも

1万5000円

徐々に
積立額をUP

40歳ぐらいから
少額で始める

1万円

5000円

iDeCo

20代で
スタート

NISA

使ったり
増やしたり

60歳以降の
生活資金に

22歳　　　30歳　　　40歳　　　50歳

NISAは増やしながらライフイベントに使い、
60歳以降の生活資金に。
iDeCoはスタートが遅い分、使うのもNISAの後にして、
介護資金として考えてもよいでしょう

まとめ	☐ まずは売却が自由な新NISAで住宅資金や教育資金を
	☐ 40代になったらiDeCoもスタートする
	☐ 公的年金が少ない自営業者は、iDeCoを早めにスタート

いま50代以上なら
iDeCoから始めよう

◉ 公的年金加入中が条件なので50代はiDeCoを早めに

2022年の制度改正によって、加入対象年齢が65歳に引き上げられ、より幅広い世代にとって使いやすくなったiDeCo。若い世代だけではなく、50代からでも十分始められる制度になっています。

また、以前までiDeCoの受給開始年齢は60歳から70歳までの間でしたが、2022年4月からこの**上限が75歳まで延長に**。受給開始年齢が伸びた分、運用できる期間が長くなったため、複利の効果でお金が増えるチャンスも大きくなりました。

ただし、iDeCoで60歳以降も積み立てるためには、国民年金・厚生年金に加入していることが条件となります。つまり、60歳以降も会社員や公務員として働き、厚生年金に加入している場合や、自営業者やフリーランス、専業主婦（夫）であれば、60歳以降に国民年金に任意加入している場合に限られます。

そのため、**50代から積立を開始するという人は、新NISAよりもiDeCoから優先的に始めるのがよいでしょう**。できるだけ早いタイミングでスタートして、できれば15年間ほどの運用期間を確保したいところです。長寿化が進んでいるため、それでも十分資金は活用できるでしょう。

新NISAは年齢制限がなく、1800万円の枠内であれば生涯運用することができるので、iDeCoより遅めに始めてもOK。たとえば退職金の一部を使って積立を開始するというのも一つの手でしょう。

50代以降ならiDeCo優先でもOK

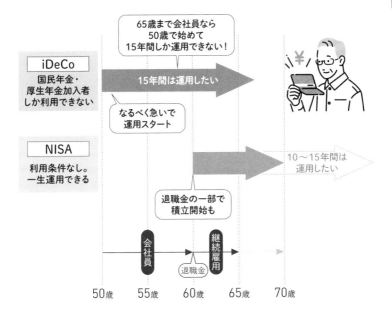

50代からの投資はどうする？

☑ 会社員でいられる期間が限られているので、所得控除のあるiDeCoから始める

☑ 運用期間は最低15年間は確保したい

☑ 手持ち資金が1500万円以下なら、バランス型の利用で慎重に。一括投資は絶対にしない

まとめ	☐ iDeCoは公的年金に加入していることが条件。50代ならiDeCoから
	☐ 50歳で加入すれば65歳まで15年間の積立期間が確保できる
	☐ 新NISAは退職金を原資に60歳から積み立て開始も

NISAとiDeCoで注意すべきこと

　NISA と iDeCo はどちらもお得な制度ですが、いくつか知っておくべき注意点があります。

　通常の投資では、損失のある取引と利益のある取引を相殺する「損益通算」という仕組みを使って課税額を減らせるのですが、NISA や iDeCo は損益通算の対象外です。

　また、口座を管理する際の手数料などが一切かからない NISA と違い、iDeCo は口座開設時、運用時、受取時に手数料がかかります。さらに、iDeCo は原則、途中解約ができず、60 歳までは最低でも月 5000 円の掛金を積み立てし続けなくてはなりません。

　NISA は年末調整・確定申告は不要ですが、iDeCo は年末調整か確定申告で控除の申請をしないとせっかくの税制優遇が受けられません。こうした点を理解した上で、上手に制度を活用するようにしましょう。

★ 勘違いしやすいポイント ★

☑「損益通算」の仕組みは使えない

☑ NISAは手数料がかからないがiDeCoはかかる

☑ NISAは積立・売却が自由だがiDeCoには制約がある

☑ NISAは年末調整・確定申告しなくていいがiDeCoは必要

付録

用語解説
索引

新NISAのための用語解説

NISA制度

2014年1月にスタートした、個人投資家のための「少額投資非課税制度」。これまでは一般NISA、つみたてNISA、ジュニアNISAの3種類からなっていたが、2024年以降は制度が抜本的に刷新された「新NISA」がスタートする。

一般NISA

金融商品を年間120万円まで購入でき、最大5年間非課税で保有できる制度。2014年にスタートし、2023年末で終了する。上場株式、株式投資信託、ETF、REITなど、幅広い金融商品が投資対象。買付方法は一括・積立から選択可能。

つみたてNISA

少額からの長期・積立・分散投資を支援するための非課税制度。2018年にスタートし、2023年末で終了する。非課税投資枠は年間40万円、投資期間が最長20年。投資対象は投資信託のみ。

ジュニアNISA

子どもの将来に向けた資産形成をサポートするための非課税制度。2016年にスタートし、2023年末で終了する。年間投資枠は80万円、非課税期間は最長5年間。利用できるのは0歳〜17歳までの未成年者。

資産所得倍増プラン

2022年11月28日発表の、国民の資産形成を促進し、所得を増やすための政策。NISAの拡充、iDeCoの改革などによって、投資に関するさらなる税制優遇を実施することで、個人が持つ貯蓄を投資にシフトすることを奨励する。

つみたて投資枠

2024年以降の新NISA制度で導入される投資枠で、現行のつみたてNISAに相当する。非課税投資枠の上限は年間120万円。つみたてNISA同様、投資対象商品は金融庁の要件を満たした長期・積立・分散投資に適した投資信託のみ。

成長投資枠

2024 年以降の新 NISA 制度で導入される投資枠で、現行の一般 NISA に相当する。非課税投資枠の上限は年間 240 万円。株式、投資信託、ETF、REIT など、つみたて投資枠に比べて対象商品が幅広く、より大きなリターンを狙った投資も可能。

非課税期間

NISA において金融商品を非課税で保有することができる期間。現行 NISA では、非課税期間が、一般 NISA は最長 5 年間、つみたて NISA は最長 20 年間となっている。新 NISA ではこの非課税期間が無期限となる。

年間投資枠

NISA において 1 年間で利用できる非課税投資枠。これまでの NISA での年間投資枠は、一般 NISA で 120 万円、つみたて NISA で 40 万円となっていた。一方、新 NISA では、成長投資枠は 240 万円、つみたて投資枠は 120 万円。

生涯投資枠

新 NISA において、一人あたりが一生涯に利用できる非課税投資枠。生涯投資枠は、成長投資枠とつみたて投資枠合わせて 1800 万円。保有している商品を売却すれば、その分の生涯投資枠は売却の翌年に復活する仕組みになっている。

口座開設期間

現行の NISA 制度では、NISA 口座の開設期間が 2023 年までと定められていた。しかし、2024 年以降の新 NISA 制度で利用可能期間が恒久化されたことで、18 歳以上の人であれば、いつでも口座開設が可能となる。

簿価残高方式

新 NISA で生涯投資枠を管理するための方式。簿価残高方式では、金融商品を購入したときの購入額（簿価）で非課税投資枠は計算される。保有する商品を売却した場合、その商品の値上がり分は考慮されず、購入額分の枠が翌年に復活する。

株式数比例配分方式

株式の配当金やETF、REITの分配金を証券口座にて非課税で受け取るには株式数比例配分方式を選ぶ必要がある。NISA口座で分配金・配当金を非課税で受け取るには、この方式の選択が必須。

投資信託

投資家から集めたお金を一つにまとめ、その資金を運用の専門家が株式や債券などに投資・運用する金融商品。投資信託は運用会社で作られ、販売会社を通じて販売される仕組み。少額から投資が始められ、分散投資もできる。

インデックス型

市場の動きを示す特定の指数（＝インデックス）に連動するよう設計された投資信託。特定の指数と似た値動きをするため、市場並みの運用成績が期待できる。運用にかかるコストが相対的に低く、信託報酬が低水準に抑えられている。

アクティブ型

特定の指数を上回る運用成績を目指す投資信託。ファンドマネジャーが市場や企業の調査・分析したうえで、組入銘柄を選定し、投資信託を運用する。運用にかかるコストが発生し、インデックス型に比べて信託報酬が高くなる。

複利効果

運用で得た利益を元金に組み込むことで元金が積み増され、利益が利益を生んで資産がふくらんでいく仕組み。雪だるま式と呼ばれることも。複利効果は、期間が長くなればなるほど大きくなっていくのが特徴。

信託報酬

投資信託の運用や管理にかかる費用。信託財産の中から運用会社、信託銀行、販売会社に対して支払われる。投資信託によって異なるが、運用実績にかかわらず、純資産総額に対して所定の金額が差し引かれる。

索引

■ 問い合わせについて

本書の内容に関するご質問は、下記の宛先までFAXまたは書面にてお送りください。下のQRコードからもアクセスできます。なおお電話によるご質問、および本書に記載されている内容以外の事柄に関するご質問にはお答えできかねます。あらかじめご了承ください。

〒162-0846
東京都新宿区市谷左内町21-13
株式会社技術評論社　書籍編集部
「60分でわかる! 新NISA 超入門」質問係
FAX:03-3513-6181

※ご質問の際に記載いただいた個人情報は、ご質問の返答以外の目的には使用いたしません。
　また、ご質問の返答後は速やかに破棄させていただきます。

60分でわかる!
新NISA 超入門

2023年10月7日　初版　第1刷 発行
2024年 5月3日　初版　第9刷 発行

著者……………………酒井富士子（回遊舎）
発行者…………………片岡　巌
発行所…………………株式会社 技術評論社
　　　　　　　　　　　東京都新宿区市谷左内町 21-13
電話……………………03-3513-6150　販売促進部
　　　　　　　　　　　03-3513-6185　書籍編集部
担当……………………伊東健太郎
編集……………………塚越雅之（TIDY）
装丁……………………菊池　祐（株式会社ライラック）
本文デザイン…………山本真琴（design.m）
DTP・作図……………土屋　光（Perfect Vacuum）
製本／印刷……………大日本印刷株式会社

ISBN978-4-297-13711-3　C0033
Printed in Japan